প্রিয় পাঠক, একটু হাসুন

আমাদের প্রকাশিত এই লেখকের অন্যান্য বই

উপন্যাস :

বেকারত্বের দিনগুলিতে প্রেম
জিম্মি
সুচরিতাসু
যতদূর থাকো ফের দেখা হবে
তিনি এবং একটি মেয়ে
৫১বর্তী
একাকী একটি মেয়ে
ফাজিল
খেয়া
সেঁজুতি তোমার জন্য
মায়া
আয়েশা মঙ্গল
পাই বা নাহি পাই
ভালোবাসা ডট কম

গদ্য-কার্টুন :

ছাগলতন্ত্র
গাধা
অশ্বডিম্ব
মেষরে মেষ তুই আছিস বেশ
সেই গাধা সেই পানি
ধরা
অহেতুক কৌতুক
কৌতুকের ছলে বলে যাই
রম্য অরম্য
সরস কথা নিরস কথা
রম্য কথা
রঙ্গভরা বঙ্গদেশ
রম্য কলাম
সদ্য লেখা গদ্যকার্টুন

প্রিয় পাঠক, একটু হাসুন

আনিসুল হক

পার্ল পাবলিকেশন্স

তৃতীয় মুদ্রণ : একুশে বইমেলা ২০১২
দ্বিতীয় মুদ্রণ : একুশে বইমেলা ২০১২
প্রকাশকাল : একুশে বইমেলা ২০১২

গ্রন্থস্বত্ব
পদ্য পারমিতা

প্রচ্ছদ
ধ্রুব এষ

ISBN : 978-984-495-003-0

পার্ল পাবলিকেশন্স ৩৮/২ বাংলাবাজার, ঢাকা ১১০০ থেকে হাসান জায়েদী কর্তৃক প্রকাশিত এবং মৌমিতা প্রিন্টার্স, ঢাকা থেকে মুদ্রিত।
অক্ষর বিন্যাস : সৃজনী, ৪০/৪১ বাংলাবাজার, ঢাকা-১১০০

মূল্য : ১৫০.০০

Prio Pathok, Ektu Hashun by Anisul Hoque. Published by Hassan Zaidi, Pearl Publications, 38/2 Banglabazar, Dhaka-1100, First Published : February 2012, Price : 150 Tk. Only
e-mail : pearl_publications@yahoo.com
website : www.allaboutbangladesh.com
www.boi-mela.com

যুক্তরাজ্য পরিবেশক
সঙ্গীতা লিমিটেড
২২, ব্রিকলেন, লন্ডন, যুক্তরাজ্য

উৎসর্গ

প্রিয় ইকবাল হোসাইন চৌধুরী
তরুণ লেখক, সাংবাদিক, চিত্রনাট্যকার

ভূমিকা

সারা বছর ধরে প্রথম আলো পত্রিকায় গদ্যকার্টুন নামের কলামটা লিখি। এর বাইরেও এখানে ওখানে রম্যরচনা লিখতে হয়। বছর শেষে তারই একটা সংকলন পার্ল পাবলিকেশন্স থেকে বের হয়ে থাকে। এবারও তার ব্যতিক্রম হলো না। সমসাময়িক ঘটনা-দুর্ঘটনা নিয়ে পরিহাস, ব্যঙ্গ-বিদ্রূপের চেষ্টা থাকে এইসব লেখায়। সেসব পড়ে কেউ হাসেন, কেউ বা বিষণ্ন হন, কেউবা ক্ষিপ্ত হন, কারো কিছুই যায় আসে না। তবু, মাঝে মধ্যেই পাঠকেরা বলেন, আপনার সব গদ্যকার্টুন এক সঙ্গে পাওয়া যায় না? উত্তর হলো, যায়। গত এক বছরে লেখা এই জাতীয় কলাম ও রচনার সংকলন হলো এই গ্রন্থটি।

সকলের মঙ্গল হোক।

আনিসুল হক
২৭ ডিসেম্বর ২০১১

বচনামৃত ও ফরেন হেল্প

প্রধানমন্ত্রী শেখ হাসিনা বলেছেন, টাকা থাকলে তিনি ঢাকাকে চার টুকরা করতেন। ঢাকা মানে ঠিক ঢাকাকে নয়, ঢাকা সিটি করপোরেশনকে। নাগরিক সুবিধা জনগণের দোরগোড়ায় তুলে দেওয়ার লক্ষ্যে প্রধানমন্ত্রী শেখ হাসিনার এই সাহসী ও দূরদর্শী পদক্ষেপ।

এই ধরনের একটি বলিষ্ঠ সিদ্ধান্ত নেওয়ার জন্য প্রধানমন্ত্রী দেশরত্নকে অভিনন্দন জানিয়ে ঢাকার রাস্তায় রাস্তায় ব্যানার ও পোস্টার লাগানো হয়েছে। দুটো ব্যানার/পোস্টার আমার চোখে পড়েছে। ব্যানারটা ঝোলানো হয়েছে ঢাকার একজন সাংসদ শেখ ফজলে নূর তাপসের পক্ষ থেকে, পোস্টারটা প্রকাশ করেছেন ঢাকার আরেক সাবেক সাংসদ হাজি সেলিম। এই পোস্টার ও ব্যানার দেখে মনে হচ্ছে, টাকার কোনো অভাব নেই। শেখ হাসিনা অবশ্য নিজেও বলেছেন, টাকার কোনো অভাব তার সরকারের নেই।

তেলনির্ভর বিদ্যুৎ উৎপাদনকেন্দ্র প্রতিষ্ঠা ও পরিচালনা করতে গিয়ে প্রচুর জ্বালানি তেল আমদানি করতে হচ্ছে, তাই টাকা চলে যাচ্ছে বিদেশে। ফলে সরকারের হাতে টাকা নেই, এই সমালোচনার জবাবে প্রধানমন্ত্রী বলেছেন, দেশে টাকার কোনো অভাব নেই। এই তো কিছুদিন আগে মোবাইল অপারেটর কোম্পানিগুলো লাইসেন্স নবায়ন ফি বাবদ সরকারকে তিন হাজার কোটি টাকা দিয়েছে। আরও টাকা আসছে।

যেহেতু টাকার কোনো অভাব নেই এবং আরও টাকা আসছে, আর যেহেতু, ঢাকা সিটি করপোরেশনকে ভাগ করা হচ্ছে নাগরিক সুবিধা জনগণের দোরগোড়ায় পৌঁছে দেওয়ার জন্য, সুতরাং ঢাকাকে মানে ঢাকা সিটি করপোরেশনকে চার টুকরা করার ভাবনাটা প্রধানমন্ত্রী শেখ হাসিনা এখন বাস্তবায়ন করেই ফেলতে পারেন।

এবং প্রধানমন্ত্রী শেখ হাসিনা যথার্থই বলেছেন, শীতাতপ নিয়ন্ত্রিত ঘরে বসে যারা সরকারের বিদ্যুৎ উৎপাদন প্রয়াসের সমালোচনা করেন, তাঁদের বাড়িতে বিদ্যুতের লাইন দুদিনের জন্য হলেও কেটে দেওয়া উচিত। তাহলেই তাঁরা

বুঝবেন, বিদ্যুৎ কত জরুরি। আর টিভি টকশোতে বসে কথা বলা সোজা, কিন্তু বাস্তবতা অত্যন্ত কঠিন। বিদ্যুৎ না থাকলে বলবেন বিদ্যুৎ কেন নেই, আবার বিদ্যুৎ পেলে এসি ঘরে বসে সমালোচনা করবেন, টাকা কেন খরচা হয়ে যাচ্ছে, তা তো হবে না।

বিএনপি-জামায়াত জোট রোড মার্চের নামে রোড শো করছে। এসব গাড়ি কীভাবে কেনা হলো, তা জনগণ জানতে চায়। ভাষাকন্যার কণ্ঠেই জনগণের সেই চাওয়া ভাষা পেয়েছে। তিনি বলেছেন, 'বিরোধীদলীয় নেত্রী ক্ষমতায় থাকতে দুর্নীতির মাধ্যমে কত টাকা কামিয়েছেন তা প্রমাণিত হয় ওই রোড মার্চের গাড়িগুলো দেখলে। প্রত্যেকটা গাড়ির নম্বর নিয়েছি, কারা কীভাবে গাড়ি কিনেছে, সব আমরা দেখব।'

তিনি যথার্থই বলেছেন, 'বিএনপি আমলের দুর্নীতির কারণেই বিশ্বব্যাংক পদ্মা সেতুর অর্থায়ন স্থগিত করেছে। বিএনপি আমলের যোগাযোগ মন্ত্রীর দুর্নীতির দুটো ডকুমেন্ট বিশ্বব্যাংকের কাছে গেছে। তারপরই তারা অর্থায়ন স্থগিত করেছে।'

এটা প্রধানমন্ত্রী শেখ হাসিনা বলেছেন অক্টোবর মাসে, লালমনিরহাটের জনসভায়। ডিসেম্বরে এসে তিনি বলেছেন, পদ্মা সেতুতে এখনো টাকা বরাদ্দ হয়নি। দুর্নীতি হলো কীভাবে? কাজেই পদ্মা সেতুতে দুর্নীতি হয়েছে, এটা বিশ্বব্যাংককেই প্রমাণ করতে হবে।

প্রধানমন্ত্রী শেখ হাসিনার উচিত বিএনপিকেও চ্যালেঞ্জ ছুঁড়ে দেওয়া। পদ্মা সেতুতে দুর্নীতি হয়নি, এটা বিএনপিকে প্রমাণ করতে হবে। তা না হলে দেশের দুর্নাম হয়ে যাচ্ছে। (কারণ দুর্নীতি হয়ে থাকলে বিএনপির আমলে হয়েছে, আবুল হোসেনের আমলে নয়)

তো বিশ্বব্যাংক যদি টাকা না দেয়, না দেবে। সরকারের টাকার অভাব নেই। দরকার হলে আমরা সরকারি-বেসরকারি অংশীদারির ভিত্তিতে পদ্মা সেতু বানাব। শুধু একটা বানাব না, দুইটা বানাব।

এই কথা যখন আমাদের প্রধানমন্ত্রী উচ্চারণ করেন, গর্বে আমাদের মাথা উঁচু হয়ে ওঠে। কিন্তু এখানেও তথাকথিত টকশো-জীবীরা নানা কথা বলাবলি শুরু করেছেন। তাঁদের মতে, বিশ্বব্যাংকের ঋণ নাকি খুব কম সুদে পাওয়া যায়, যার মধ্যে অনেকটাই আসে অনুদান হিসেবে। আর বেসরকারি উদ্যোক্তার কাছ থেকে সেতু নির্মাণে বিনিয়োগ আনা হলে তারা দাম নেবে বেশি, পরে আমাদের সেতুর সারচার্জ গুনতে হবে চড়া। যাঁরা এসি রুমে বসে এই ধরনের কথা বলছেন, তাঁদের বাড়ির বিদ্যুৎ সংযোগ কেটে দেওয়া হোক। শুধু তাই নয়, তাঁদেরও গাড়ির নম্বর টুকে রাখা হোক, ভবিষ্যতে যখন দুটো পদ্মা সেতু হবে, সেই সেতুতে এই গাড়িগুলো উঠতে দেওয়া হবে না।

হুমায়ূন আহমেদ প্রেরিত কৌতুকের বই থেকে

আমার অফিসের টেবিলে দেখি একটা কাগজের প্যাকেট। প্যাকেটটা খুললাম। দেখি একটা ইংরেজি বই। কৌতুকের বই। বইটা কে পাঠাল, কেন পাঠাল, ভাবছি। তারপর দেখি লেখা:

আনিসুল হক,

তোমার রসিকতাগুলো পানসে হয়ে যাচ্ছে। ফরেন হেল্প নাও।

হুমায়ূন আহমেদ

২৯ নভেম্বর ২০১১, জ্যামাইকা, নিউইয়র্ক

সর্বনাশ, আমার লেখা যে পানসে হয়ে যাচ্ছে, নিউইয়র্কে বসে হুমায়ূন আহমেদ স্যারও সেটা টের পাচ্ছেন। সত্যি সত্যি আমার ফরেন হেল্প দরকার।

হুমায়ূন স্যারের পাঠানো ৬০০ নতুন কৌতুকের বইটা ঢুঁড়ছি। নাহ, বেশির ভাগ কৌতুকই প্রাপ্তবয়স্কের জন্য। গদ্যকার্টুনের অনেক পাঠক আছে, যারা প্রাপ্তবয়স্ক নয়।

আচ্ছা, পাওয়া গেছে। সারা পলিনকে নিয়ে কৌতুক। সারা পলিন এবার প্রেসিডেন্ট পদে নির্বাচন করুন, এই বিষয়ে ব্যাপক সমর্থন পাওয়া যাচ্ছে।

সকালবেলা এ রকম একটা কথা শুনে সারা পলিন তাঁর এক সহযোগীকে বললেন, 'এটা কি সত্য অনেকে বলছে, আমার আবার নির্বাচনে দাঁড়ানো উচিত, এবং এবার প্রেসিডেন্ট পদে?'

'জি, অনেকেই তা বলছে।'

'তা তারা বলছে পার্টি ফোরামে?'

'জি, তা তারা বলছে পার্টি ফোরামে।'

'এবং তারা সবাই রিপাবলিকান?'

সহযোগী তখন মাথা চুলকে বলল, 'না, তারা রিপাবলিকান নয়। তারা সবাই ডেমোক্র্যাট।'

সারা পলিনের মতো দেখতে একজন মহিলা একটা রেস্তোরাঁয় ঢুকেছেন। সঙ্গে সঙ্গে সেখানে ভীষণ ভিড় জমে গেল। তবে এই জনতা শিগগিরই বুঝতে পারল, এই মহিলা সারা পলিন নন।

কীভাবে?

কীভাবে? জনতা আশ্চর্য হয়ে দেখল, তাদের উত্থাপিত প্রশ্নের সঠিক উত্তর এই মহিলা দিয়ে দিচ্ছেন।

মানে কী? মানে বুঝতে হলে বুশ সাহেবের পুরোনো কৌতুক দিয়ে চালাতে হবে।

বুশ সাহেব গেছেন স্বর্গের দরজায়। প্রহরী তাকে আটকে দিল। বলল, 'জনাব, আপনার পরিচয়পত্র দেখান।'

বুশ বললেন, 'আমি বুশ, আমেরিকার প্রেসিডেন্ট ছিলাম। অবশ্যই আমি স্বর্গে যাওয়ার যোগ্যতা রাখি। আমার আবার পরিচয়পত্র কী?'

প্রহরী বলল, 'আপনি আমেরিকার প্রেসিডেন্ট ছিলেন। অবশ্যই আপনি স্বর্গে যাবেন। তবে এখানকার নিয়ম হলো, পরিচয়পত্র দেখিয়ে তারপর ঢুকতে হয়। যেমন ধরুন, একটু আগে পাবলো পিকাসো এসেছিলেন। আমরা তাঁকে বললাম, আপনিই যে পিকাসো, তার প্রমাণ কী। উনি ওনার বিখ্যাত শান্তির পায়রার ছবিটা একটানে এঁকে দিয়ে স্বাক্ষর করে দিলেন। তাঁকে আমরা ঢুকতে দিলাম। তারপর এলেন আইনস্টাইন। তাকে বলা হলো নিজের পরিচয়ের প্রমাণ দিতে। এই দেখুন তিনি লিখে দিয়েছেন ই ইজ ইকুয়াল টু এম সি-স্কয়ার। তারপর তিনি সাইন করেছেন। আমরা তাকে ঢুকতে দিয়েছি। আপনিও একটা কিছু করে দেখান।'

বুশ বললেন, 'পাবলো পিকাসো, আইনস্টাইন, এরা আবার কারা?'

প্রহরী বলল, 'বুঝেছি, বুঝেছি, আপনিই বুশ। আপনি প্রবেশ করুন।'

২৭-০৯-২০১১

পাগল, শিশু ও নিরপেক্ষবিষয়ক কৌতুক

আবার এই কথাটা এসেছে। এটা প্রথমে বলেছিলেন বেগম খালেদা জিয়া। তখন তিনি প্রধানমন্ত্রী। শেখ হাসিনার নেতৃত্বে আমরা তখন আন্দোলন করছিলাম নির্দলীয়, নিরপেক্ষ তত্ত্বাবধায়ক সরকারের অধীনে নির্বাচনের দাবিতে। বেগম জিয়া বললেন, কোথায় পাওয়া যাবে নিরপেক্ষ লোক? শিশু ও পাগল ছাড়া কেউ নিরপেক্ষ নয়। এখন শেখ হাসিনা প্রধানমন্ত্রী। এখন বেগম জিয়া তত্ত্বাবধায়ক সরকার চান। শেখ হাসিনা চান না। তিনি তাই বলেছেন, বেগম জিয়া এখন পাগল কোথায় পেলেন?

এই বাক্যবিনিময় বড়দের ব্যাপার। আমরা চুনোপুঁটি। এর মধ্যে আমরা নাক গলাতে যাব কেন?

আমাদের কাজ কৌতুক পরিবেশন করা। আমরা কৌতুক পরিবেশন করেই ক্ষান্ত থাকি বরং।

এটি হুমায়ূন আহমেদ পরিবেশিত কৌতুক। পাগলেরা সব সময় ভালো ভালো উপদেশ দেয়। হুমায়ূন আহমেদের মতে, সেরা উপদেশটা দিয়েছিল সেই পাগল, যাকে দেখা যেত কমলাপুর রেলওয়ে স্টেশনে। সে রেলগাড়িগুলোকে দিন-রাত উপদেশ দিত, 'বাবারা, লাইনে থাকিস।'

গীতিকার কবির বকুল চাঁদপুর শহরের এক পাগলের করুণ গল্প শুনিয়েছিলেন আমাদের। একটা পাগল রোজ রাস্তার মাঝখানে দাঁড়িয়ে ট্রাফিক নিয়ন্ত্রণ করত আর বলত, 'সাইডে, সাইডে।' বাস, ট্রাক, রিকশা–সব তাকে পাশ কাটিয়ে সাইডে চলে যেত। একদিন সেই পাগল চলে গেল রেললাইনে। সে দ্রুত আগমনরত ট্রেনকে উপদেশ দিতে লাগল, 'সাইডে সাইডে।'

এই দুটো কৌতুকে পাগলের যে অবস্থা, আমাদের হাল হয়েছে সেই রকম। আমরা বলছি, 'বাবারা, লাইনে থাকিস।' আমরা বলছি, 'সাইডে, সাইডে।' কিন্তু দেশের রাজনীতি নামের ট্রেনটা আমাদের কথা শুনছে না। আমাদের গায়ের ওপর দিয়েই তা চলে যাচ্ছে।

একজন মানসিক রোগীর ঘুম হয় না। ঘুম হয় না, কারণ তিনি রাতের বেলা ভয় পান। ভয় পান, কারণ তিনি মনে করেন, তাঁর খাটের নিচে একটা ভয়ংকর জন্তু লুকিয়ে আছে। তিনি একজন মনোরোগ চিকিৎসককে দেখাচ্ছেন দিনের পর দিন। কিন্তু কিছুতেই কোনো উন্নতি হয় না। না ঘুমিয়ে তাঁর স্বাস্থ্য খুব খারাপ হতে লাগল। শেষে তিনি চিকিৎসক বদলালেন। মাত্র একটা সাক্ষাতেই নতুন ডাক্তার তাঁর সমস্যার সমাধান করে দিলেন। সমাধানটা কী? নতুন ডাক্তার বললেন, 'আপনি আপনার খাটের পায়া চারটা কেটে ফেলুন।' রোগী খাটের পায়া কেটে ফেললেন। তাঁর খাটের নিচে আর কোনো জন্তু থাকে না।

আসলেই অনেক বড় সমস্যার অনেক সহজ সমাধান আছে।

মানসিক রোগীদের পাগল বলাও ঠিক নয়। অন্য যেকোনো রোগে আক্রান্তদের মতোই তাঁরাও একটা অসুখে ভুগছেন। তাঁদের অধিকার আছে চিকিৎসা পাওয়ার, সমাজে সম্মানের সঙ্গে বাঁচার। নিরপেক্ষ লোকদেরও অধিকার আছে সমাজে সুস্থ-সুন্দরভাবে জীবন যাপন করার; যদিও আমাদের সমাজে পাগলদের প্রতি চরম নিষ্ঠুরতা দেখানো হয়। একই রকম নিষ্ঠুরতা দেখানো হয় নিরপেক্ষ লোকদের সঙ্গে। তাঁরাই যে সংখ্যাগরিষ্ঠ, এই কথাটা আমাদের নেতাদের মনে থাকে না। নেতারা কেবল দলীয় আনুগত্য প্রদর্শনকারীদের জন্য কাজ করেন। গভর্নমেন্ট বাই দ্য পার্টি, ফর দ্য পার্টি, অব দ্য পার্টি–এই হচ্ছে আমাদের গণতন্ত্র। নেতারা কল্পনাও করতে পারেন না, একটা লোক কেন নিরপেক্ষ থাকবে। পাগল নাকি? এই দেশে কেউ নিরপেক্ষ থাকতে পারে? আমরা কাউকে নিরপেক্ষ থাকতে দেব? যদি কেউ থেকে থাকেন, আমরা তাঁকে ধরে মানসিক হাসপাতালে পাঠিয়ে দেব। কিন্তু এই নিরপেক্ষ লোকেরাই বারবার ভোট দিয়ে ক্ষমতার বদল ঘটান। এবারও শেখ হাসিনাকে যাঁরা সংখ্যাগরিষ্ঠতা দিয়েছেন, তাঁরা ওই নিরপেক্ষ লোকগুলোই।

আরেকটা কৌতুক। এবার পাগল নিয়ে নয়, শিশুদের নিয়ে।

একটা বাচ্চা সারাক্ষণ বুড়ো আঙুল চোষে। তার মা বললেন, 'তুমি যদি বুড়ো আঙুল চোষো, তোমার পেট ফুলে যাবে।'

তার বাড়িতে আসা পাশের বাড়ির সন্তানসম্ভবা মহিলা বেড়াতে এলে বাচ্চা বলল, 'তোমার পেট কেন ফোলা? তুমি কী করেছ, আমি জানি।'

আর ওই শিশুটির কথা তো এখন সবাই জানে, যে শিশুটিকে নিয়ে নাটক লেখা হয়েছে, নীরেন্দ্রনাথ চক্রবর্তী কবিতা লিখেছেন। যে শিশুটি উলঙ্গ রাজাকে বলেছিল, 'রাজা, তোর কাপড় কোথায়?'

সত্যি বলতে কি, আমাদের দেশে এখন ওই শিশুদের দরকার, যারা বলবে, 'রাজা, তোর কাপড় কোথায়?' আমাদের এখন পাগল দরকার। আমাদের দেশে এখন নিরপেক্ষ লোক দরকার, যারা নিজের ভালো বুঝবে না, অন্যের ভালো

বুঝবে। যারা 'দল' 'দল' বলে মারা যাবে না; 'দেশ' 'দেশ', 'মানুষ' 'মানুষ' বলে কাতর হবে।

রবীন্দ্রনাথের একটা প্রবন্ধ আছে 'পাগল' শীর্ষক। তাতে তিনিও সেই পাগলের প্রত্যাশাই করেছেন। বলেছেন, 'পাগল শব্দটা আমাদের কাছে ঘৃণার শব্দ নহে...এই সৃষ্টির মধ্যে একজন পাগল আছেন, যাহা কিছু অভাবনীয় তাহা খামখা তিনিই আনিয়া উপস্থিত করেন। তিনি কেন্দ্রাতিগ, "সেন্ট্রিফুগাল"–তিনিই কেবল নিয়মকে বাহিরের দিকে টানিতেছেন।... পাগলও ইঁহারই কীর্তি, প্রতিভাও ইঁহারই কীর্তি।'

আমাদের দেশে পাগল দরকার, শিশু দরকার, নিরপেক্ষ লোক দরকার। কিন্তু তা আমরা পাব কি না, জানি না।

কিন্তু দলীয় উন্মাদনায় উন্মত্ত মানুষ, ক্ষমতার লোভে মত্ত মানুষের অভাব এই দেশে নাই। এজাতীয় মানুষ কিন্তু ক্ষতিকর।

মানসিক হাসপাতালে একজন রোগী আরেক রোগীকে বাঁচিয়েছে। দ্বিতীয় লোকটা সুইমিং পুলে ঝাঁপ দিয়েছিল আত্মহত্যা করার জন্য। প্রথম লোকটা তাকে উদ্ধার করেছে। হাসপাতালের পরিচালক প্রথম জনকে ডেকে বললেন, 'আপনি তো খুব ভালো কাজ করেছেন! আপনার রেকর্ড ভালো। আপনাকে ছেড়ে দেওয়া হবে। আপনি একজনকে আত্মহত্যার হাত থেকে বাঁচিয়েছেন। অবশ্য সে পরে ফাঁসিতে ঝুলে আত্মহত্যা করেছে।'

রোগী বলল, 'স্যার, উনি নিজে নিজে ঝোলেননি। ভিজে গিয়েছিলেন বলে আমি তাকে শুকোনোর জন্য রেলিংয়ের সঙ্গে ঝুলিয়ে রেখেছিলাম। গলায় দড়ি বেঁধে তাঁকে ঝোলাতে হয়েছে।'

দেশ উদ্ধারের নামে দেশের ভবিষ্যৎকে গলায় দড়ি দিয়ে কেউ যেন ঝোলাতে না পারে।

১১-১০-২০১১

পদ্মার ঢেউ রে, মোর শূন্য হৃদয়পদ্ম নিয়ে যা...

আমার হৃদয় আজ শূন্য। আমাদের হৃদয় আজ শূন্য। আমাদের সকলই আজ শূন্য। আমাদের হৃদয়পদ্ম শুকাইয়া গিয়াছে। আমাদের হৃদয়পদ্মের পাপড়ি ঝরিয়া পড়িয়াছে। আমাদের হৃদয়পদ্মের রেণুগুলি আজ পচিয়া দুর্গন্ধ ছড়াইতেছে। পদ্মার ঢেউ, তুমি আমাদের এই শূন্য, রিক্ত হৃদয়খানি লইয়া যাও। আমরা হৃদয়হীন হইয়া থাকি, তাই আমাদের সয়। কিন্তু এই অপমান কীরূপে সই?

আমরা কীরূপে মুখ দেখাইতেছি? জগৎ আমাদিগকে লইয়া হাসাহাসি করিতেছে। জগৎসভায় আমাদিগকে লইয়া বিচার বসিতেছে।

আমরা টাকা ধার লইতে গিয়াছিলাম। আমরা খাতক। আমরা অধমর্ণ। আমরা ঋণপ্রত্যাশী। তাই আমরা গিয়াছিলাম বিশ্বমহাজনের দ্বারে। তাহারা আমাদিগকে ঋণ দেয় নাই। মুখের ওপরে দরজা বন্ধ করিয়া দিয়াছে। শাসাইয়া দিয়াছে। বলিয়াছে, যা, যা! ঋণ চাইতে এসেছিস কোন মুখে? যা, আগে ঘর সামলা। টাকা নিয়ে তো উড়িয়ে দিবি। ওই টাকা ওড়ানো স্বভাবটা আগে শোধরা গে যা। তারপর টাকা চাইতে আসিস। এই, তোদের লজ্জা করে না ধার করে বাবুয়ানা করতে? ঋণ করে তোরা ঘি খাস, তা খা গে যা। কর্জের টাকায় তোরা কী করে দুর্নীতি করিস? ওই টাকাটা তো তোদের শোধ করতে হবে, নাকি? তোদের প্রত্যেকটা মানুষের ঘাড়ে সমান মাপে বসবে ঋণের বোঝা। সেই টাকাটা তোরা নয়-ছয় করিস কী করে? সকলের ওপরে চাপে যে ঋণের বোঝা, কয়েকজন মিলে সেই টাকাটা হাপিস করে ফেলে, তোরা কিছু বলিস না কেন? যা, আগে নিজের হাতটা সাফসুতরো কর। তারপরে আসিস।

হে পদ্মা, হে প্রতাপশালিনী, প্রমত্তা, অতিবিখ্যাত পদ্মা, তোমাকে উপলক্ষ করে এত নিন্দামন্দ আমাদের শুনতে হলো! এত গালমন্দও আমাদের কপালে ছিল!

পদ্মা, হে পর্বতদুহিতা, চিরপ্রমত্তা, তুমি জানো, এই দেশ নদীমাতৃক, নদীই মাতা এই দেশের। তুমি, তোমার মতো নদীসমূহ আমাদের এই বদ্বীপটিকে

তিলে তিলে গড়িয়া তুলিয়াছে। পাহাড় হইতে নামিয়া আসা ঢল বহিয়া আনিয়াছে পলি, তাহাই জমিয়া জমিয়া গড়িয়া উঠিয়াছে এই বদ্বীপ। এই দেশ। জন্মই যদি দিলে হে পদ্মা, আমাদিগকে এত অপমান দিলে কেন?

তোমার বুকে আমরা গড়িয়া তুলিতে চাহিয়াছি একখানা সেতু। এই কি আমাদের অপরাধ? আমরা সেতু গড়িব না? আমাদের কপাল এই যে, আমাদের কতগুলি মন্ত্রণালয় আছে, সেতু বানানোর দায়িত্ব তাই কোনো না কোনো মন্ত্রণালয় লাভ করিবেই। এখন সেই মন্ত্রণালয়ের ব্যাপারে, সেতু নির্মাণের প্রক্রিয়ার ব্যাপারে যদি দাতাদের আপত্তি থাকে, তাহার দায়িত্ব এই দেশের নদীতীরস্থ ১৬ কোটি মানুষকেই বহন করিতে হয়! অথচ এই দেশের ১৫ কোটি ৯৯ লাখ মানুষেরই রাষ্ট্রীয় দুর্নীতির সহিত কোনো সম্বন্ধ নাই। একটা সেতু কে নির্মাণ করে, কত টাকায় করে, কত টাকা অপচয় হয়, কত টাকা নদীগর্ভে বিলীন হয়, কত টাকা কাহার উদরে যায়, সে সম্পর্কে দেশের ৯৯.৯ ভাগ মানুষেরই কোনো জ্ঞান নাই, সম্পৃক্ততা নাই। কিন্তু নিন্দার কালি তাহাদের সকলের মুখেই লাগে।

আমাদের বুকে এই নিন্দা খুব গভীর আঘাত হানিয়াছে। আমাদের হৃদয়ে এই অপমান বড় তীব্র হইয়া বাজিয়াছে। আমাদের এক প্রতিনিধি থলি হস্তে গিয়াছিলেন ঋণ আনিতে। ঋণ পান নাই, অপমান পাইয়াছেন, উপদেশ পাইয়াছেন। তাঁহার না-জানি কীরূপ লাগিয়াছে। আমাদের গ্রামদেশে প্রবাদ আছে, ভিক্ষা চাই না মা, কুত্তা তাড়া। তাঁহার অবস্থা হইয়াছে তাহার অপেক্ষা খারাপ। তিনি বলিতেও পারিতেছেন না, 'লাগবে না তোমার কর্জের টাকা। ভারি তো ধার দিচ্ছ। সুদে-আসলে শোধ দিতে হবে! নেব না! নিজের আয়েই সেতু বানিয়ে ফেলব।' আবার বলিতেও পারিতেছেন না, 'আচ্ছা, দেশে গিয়ে দুর্নীতির বিরুদ্ধে লড়াই করব। সব দুর্নীতিবাজকে ঝেঁটিয়ে বিদায় করব।' তিনি এটা বলিতেও পারিবেন না, কারণ, তাঁহার দলে, তাঁহার সরকারে, তাঁহার দেশে কোনো দুর্নীতিবাজ নাই! কখনো ছিল না! শুধু অভিযোগ করিলে চলিবে না, প্রমাণ আনিতে হইবে।

ইহাকেই বুঝি বলে ত্রিশঙ্কু অবস্থা। একেবারে শূন্যে ঝুলিয়া থাকা।

আজ এই নদীমাতৃক দেশটির বড় অপমান হইয়াছে। তাহার মুখে চুনকালি পড়িয়াছে।

কিন্তু যাহাদের কারণে আমাদের এই অবমাননা, এই দুঃখদুর্দশা, তাহাদের কোনো বিকার নাই, ভ্রুক্ষেপ নাই। তাহারা কেমন সুখে নিদ্রা যাইতেছে। তাহারা কত কথা কহিতেছে। তাহারা কেমন সদুপদেশ দিতেছে!

হে পদ্মা! তুমি এই মাটি গড়িয়াছ। তুমি এই দেশ গড়িয়াছ। তোমার সন্তানদের এই দুঃখদুর্দশা-অপমান-লাঞ্ছনা দেখিয়া তোমার হৃদয় বিদীর্ণ হয় না? তোমার কান্না পায় না? তুমি কীরূপে অশ্রু সংবরণ করিবে?

তোমার সন্তানদের মাথা হেঁট হইয়া গিয়াছে। কিন্তু যাহাদের কারণে আজ সন্তানদের এই সম্মিলিত অবমাননা, তাহাদের মুখে দেখো আকর্ণবিস্তৃত হাসি। টাকা তাহাদের হইয়া কথা কহিতেছে। তাহারা সকল কিছুর ঊর্ধ্বে। দেশের অপমান তাহাদের বুকে বাজে না। তাহাদের নিজেদের অপমান তো তাহারা কিছুতেই বোধ করিতে পারে না। তাহারা যে বোধবুদ্ধির ঊর্ধ্বে! তা না হইলে তাহারা তাহারা কেন?

আর কত অপমান আমাদের কপালে লেখা আছে, হে পদ্মা! সর্বনাশা পদ্মা নদী, তোর কাছেই শুধাই, বল, আমাদের লজ্জা-অপমানের কি কোনোই কূলকিনারা নাই? নদীর এ-কূল ভাঙে ও-কূল গড়ে, কিন্তু আমাদের কেন দুই কূলই ভাঙে? আমাদের সবকিছু কেন ভাঙিয়া পড়িতেছে? আমরা কী পাপ করিয়াছি?

পদ্মা রে! আমরা আর সহিতে পারিতেছি না। নিজের অবমাননা, নিজের অপমান সহ্য হয়। দেশের অপমান যে সইতে পারি না। মা তোর বদনখানি মলিন হলে আমাদের যে নয়নজলে ভাসিতে হয়। আজ আমাদের নয়নজলে ভাসিতেই হইবে। অনেক কান্না কাঁদিয়াও যে আমরা এই অপমানের জ্বালা ভুলিতে পারিতেছি না। আমাদের ধনসম্পদ কখনোই ছিল না। ছিল কিছুটা মানসম্মানবোধ। আজ তাহাও গেল। সব হারাইয়া আমরা নিঃস্ব, রিক্ত, আমরা আজ শূন্যহৃদয়।

পদ্মার ঢেউ রে, তুই আছড়াইয়া পড়। আমাদের শূন্যহৃদয় তুই লইয়া যা। আমাদিগকে মারিয়াই বাঁচাইয়া তোল।

২৫-১০-২০১১

অজ সংবাদ

ছাগল প্রতিযোগিতা হচ্ছে। গ্রান্ড ফিনালে। রাজ্যের সেরা ছাগল নির্বাচন করা হবে। এই প্রতিযোগিতায় গ্রান্ড চ্যাম্পিয়ন হলো একটি ছাগল। রানার্সআপ হলো আরেকটা।

চ্যাম্পিয়ন হয়েছিল ম্যাগি নামের একজন ছাত্রীর ছাগল। ম্যাগি আবার পশুপালন বিদ্যারই ছাত্রী। তার ছোট ভাইয়ের ছাগল হয়েছিল রানার্সআপ।

কিন্তু এক সপ্তাহ পর এই ফল বাতিল বলে ঘোষণা করল রাজ্যের অ্যাটর্নি জেনারেলের অফিস।

কারণ, ডোপ পরীক্ষায় এই ছাগল দুটো উত্তীর্ণ হতে পারেনি।

এই ছাগল দুটো নিষিদ্ধ ড্রাগস সেবন করেছিল।

কাজেই ফল বাতিল।

ঘটনা ঘটেছে আমেরিকার কলোরাডো রাজ্যে। ১৪ অক্টোবর অ্যাটর্নি জেনারেল অফিসের চিঠি প্রতিযোগী ছাগল দুটোর মালিকের হাতে পৌঁছায়। অ্যাটর্নি জেনারেল জানিয়ে দেন, ডোপ পরীক্ষায় পজিটিভ হওয়ায় ছাগল দুটোর চ্যাম্পিয়নশিপ ও রানার্সআপশিপ কেড়ে নেওয়া হলো। খবর এপির।

ওই ছাগল দুটোর মূত্র পরীক্ষার পর রাজ্যের মাদক বিশেষজ্ঞরা স্থির করেন ছাগল দুটো ডোপ-পাপী। তাদের মূত্রে র‍্যাকটোপ্যামাইন নামের নিষিদ্ধ উপাদান পাওয়া গেছে। এই র‍্যাকটোপ্যামাইন শূকরের খাদ্যে থাকতে পারবে, কিন্তু ছাগলের জন্য সেই খাদ্য নিষিদ্ধ।

কথায় বলে, ছাগলে কি না খায়! কিন্তু আমেরিকার ছাগলের পক্ষে যা খুশি তা খাওয়া সম্ভব নয়। যেমন সেখানকার ছাগলের পক্ষে সম্ভব নয় শূকরের খাদ্য খাওয়া।

আমেরিকা আসলেই একটা কৌতুককর দেশ। ওরা ফেসবুকে পাতা খুলেছিল একটা ছাগলের ছবি দিয়ে। পাতার নাম–এই ছাগল কি ওবামার চেয়ে বেশি সমর্থক জোগাড় করতে পারবে? ওই ছাগলের সমর্থকের সংখ্যা হাজারে হাজারে বাড়তে শুরু করেছিল। শেষ পর্যন্ত ফেসবুক কর্তৃপক্ষ ওই ফ্যান পেজটি বন্ধ করে দেয়।

হাস্যকৌতুকের ওয়েবপাতাগুলোর খবর অনুসারে, এ ব্যাপারে হোয়াইট হাউসের মন্তব্য চাওয়া হলে তারা মন্তব্য করতে অস্বীকৃতি জানায়।

ওই ছাগলটাকে প্রেসিডেন্ট নির্বাচনে প্রার্থী করার দাবি ওঠে। এমনকি ওই ছাগলের সঙ্গে ভাইস প্রেসিডেন্ট পদে কে দাঁড়াতে পারে, তা নিয়েও নানা রকমের প্রস্তাব আসতে শুরু করে।

কৌতুককর ওয়েব পাতায় বলা হয়, শেষ পর্যন্ত হোয়াইট হাউসের একজন কর্মকর্তা নাম প্রকাশ না করার শর্তে মুখ খোলেন, 'আমরা জানি, ওবামার বিরুদ্ধে দাঁড়াতে চাইছে ছাগল। এ নিয়ে কথা বলার কী আছে! ছাগল তো ছাগলই।'

কিন্তু ছাগল ছাগল ছাড়া আর কিছু না হোক, তাদের তো একটা দল লাগবে। এই ছাগল কোন দলের টিকিটে নির্বাচন করবে, ডেমোক্রেটিক না রিপাবলিকান, তা নিয়ে গবেষণা ও হাসাহাসি শুরু হয়। রম্য ওয়েবসাইট বলছে, তারা ওই ছাগলের সাক্ষাৎকার চেয়েছিলেন, কিন্তু ছাগলটি তাদের প্রস্তাবে কোনো রকমের সাড়াই দেয়নি।

এখানেই বোধ হয় বাংলাদেশের সঙ্গে আমেরিকার পার্থক্য। বাংলাদেশে সাক্ষাৎকার চাওয়ার আগেই পাওয়া যায়, শুধু তাই না, সাক্ষাৎকার দেওয়ার জন্য অনেকেই ছুটে চলে যান মাইক্রোফোনের সামনে।

ওদিকে জার্মানির এক ছাগল খবরের জন্ম দিয়েছে গ্রেপ্তার হয়ে। সে ব্যস্ত রাস্তায় চলে এসেছিল। আর থমকে গিয়েছিল সব যানবাহন। পুলিশ তাকে গ্রেপ্তার করে। আর তার গলায় হাতকড়া পরায়।

আপনাদের মনে হতে পারে, এই লেখকের কী হলো। দুনিয়ার ছাগলের খবর সে একখানে করছে কেন।

আচ্ছা, আচ্ছা, আপনারা কি জর্জ অরওয়েলকে জিজ্ঞেস করবেন, কেন তিনি অ্যানিমেল ফার্ম লিখেছিলেন।

আসলে গদ্যকার্টুনের কোনো বিষয় খুঁজে পাচ্ছি না। চারদিকে, বাস্তব দুনিয়ায়, এত মজার মজার কাণ্ড ঘটছে, এত কৌতুকপ্রদ বাণী প্রচারিত হচ্ছে যে, এখন রম্যলেখকের পক্ষে রম্যরচনা লেখা কঠিন হয়ে পড়েছে। পত্রিকার প্রথম পাতায় যদি সত্যিকারের খবর হিসেবে আপনি গদ্যকার্টুন পাঠ করেন, তাহলে ভেতরের পাতায় কল্পকাহিনি আপনি কেন পড়বেন?

ছাগল নিয়ে ঈশপের কাহিনিটা আপনাদের মনে করিয়ে দিতে চাই। এক নেকড়ে একটা গর্তের মধ্যে পড়ে গেল। সে কিছুতেই ওপরে উঠতে পারছে না। তখন ওই পথ দিয়ে যাচ্ছিল একটা ছাগল। ছাগল উঁকি দিয়ে দেখল, গর্তের মধ্যে একটা নেকড়ে। সে বলল, কী হে নেকড়ে, ওখানে কী করো। নেকড়ে বলল, এটা হলো পৃথিবীর সবচেয়ে সুন্দর জায়গা। আর এখানকার পানি পৃথিবীর সবচেয়ে সুস্বাদু পানি। লাফ দাও। এসে নিজে পান করে দেখো। ছাগলটা এক

লাফে গর্তে নামল। নেকড়েটা ছাগলের ঘাড়ে পা রেখে গর্ত থেকে উঠে গেল ওপরে। ঈশপের উপদেশ হলো, 'লুক বিফোর ইউ লিপ'।

ছাগলের সঙ্গে পাগলের ধ্বনিগত মিল থাকায় ছাগল নিয়ে কথা বলতে গেলেই পাগলের কথা উঠবে। বাংলা প্রবাদ আছে, পাগলে কি না বলে ছাগলে কি না খায়। ইংরেজিতে একটা কথা আছে, স্কেপগোট। এই শব্দটা ছাগল থেকেই এসেছে, যে নিরীহ লোক/দল/গোষ্ঠী বা দেশের ওপরে কোনো একটা খারাপ কাজের দায় অকারণেই চাপিয়ে দেওয়া হয়। বাংলায় বোধ হয় একেই বলা যায় বলির পাঁঠা।

আর বাঘ শিকারের সময় ছাগল দরকার হয়। ছাগলকে বেঁধে রাখা হয় টোপ হিসেবে। শিকারি লুকিয়ে থাকে নিরাপদ স্থানে, বন্দুক হাতে। ছাগলের ডাকে বিভ্রান্ত হয়ে বাঘ আসা মাত্রই শিকারি গুলি ছোড়ে।

আমাদের এক নেতা বলছেন, পদ্মা সেতুর দুর্নীতি যা হওয়ার হয়েছে আগের সরকারের আমলে, করেছেন আগের সরকারের যোগাযোগমন্ত্রী। আরেক নেতা বলছেন, নিজামী-সাঈদী-মুজাহিদরা মুক্তিযুদ্ধের বিরোধিতা করেননি, বরং আওয়ামী লীগই মুক্তিযুদ্ধ করেনি।

এই প্রেক্ষাপটে *ডেইলি স্টার* সম্পাদক মাহ্ফুজ আনাম লিখেছেন, অবশ্যই আমাদের নেতারা ভাবেন আমরা ইডিয়ট (*ডেইলি স্টার*, ২১ অক্টোবর, ২০১১)।

এ বিষয়ে আমি আর কোনো মন্তব্য করতে চাই না।

১৯-০৭-২০১১

চক্ষু বিভাগে আরও চর্ম চিকিৎসক চাই

প্রথম আলোয় কেন এ খবরটা (১৭ জুলাই ২০১১) প্রকাশিত হলো, আমাদের মাথায় ঢুকছে না। ঢাকা মেডিকেল কলেজের চক্ষু বিভাগে পাঠানো হয়েছে একজন চর্ম চিকিৎসককে। এটা কেন একটা 'খবর' হবে? আমরা সাংবাদিকতার পাঠ্যবইয়ে পড়েছি, কুকুর মানুষকে কামড়ালে খবর হয় না, মানুষ কুকুরকে কামড়ালে খবর হয়। চক্ষু বিভাগে চক্ষু চিকিৎসককে পাঠালে অবশ্যই খবর হতো না। কিন্তু চর্ম চিকিৎসককে পাঠালে কেন সেটা খবর হবে?

প্রথম আলোয় প্রকাশিত খবরটিতে নানা ব্যাখ্যা দেওয়া হয়েছে। চক্ষু বিভাগে রোগীরা আসেন চোখের সমস্যা নিয়ে, সেখানে চর্ম চিকিৎসক থাকলে নাকি অসুবিধা হয়। শুধু চর্ম চিকিৎসক নয়, প্যাথলজি বিশেষজ্ঞও একজন আছেন চক্ষু বিভাগে। আর চর্ম চিকিৎসক যাঁর স্থলাভিষিক্ত হলেন, অর্থাৎ এর আগে ওই পদে যিনি ছিলেন, তিনি আবার স্ত্রীরোগ বিশেষজ্ঞ।

খবরের বর্ণনা থেকে বোঝা যাচ্ছে, ঢাকায় পোস্টিংয়ের জন্য ব্যাপক তদবির, চাহিদা, চাপের মুখে এ ধরনের গোঁজামিলের নিয়োগ চলে আসছে। স্বাস্থ্য মহাপরিচালক বলেছেন, এক বিভাগের চিকিৎসক অন্য বিভাগে নিয়োগ পেতে পারেন না। এ ধরনের কোনো ঘটনা ঘটে থাকলে দ্রুত সংশোধন করার ব্যবস্থা নেওয়া হবে।

কিন্তু আমাদের, আমরা যারা ব্যঙ্গ-বিদ্রূপ করে থাকি, তাদের কাছে কিন্তু কোনো ভুল চোখে পড়ছে না, সংশোধনেরও কোনো সুযোগ আছে বলে মনে হচ্ছে না। আমরা বরং বলি, চক্ষু বিভাগে বেশি করে চর্ম চিকিৎসক নিয়োগ দেওয়া হোক।

কেন আমরা এটা চাইছি?

কারণ, বাংলা প্রবাদ আছে—চোখের চামড়া নেই, মানে হলো, চক্ষুলজ্জা নেই, লাজ-শরমের বালাই নেই। আর যার চোখের চামড়া আছে, তার কিছু লাজলজ্জা আছে। কিছু বলার আগে, করার আগে সে সাতপাঁচ ভাববে, এমন কিছু করবে না, যাতে তাকে লজ্জায় ডুবতে হয়।

কাজেই চোখে চামড়া থাকা খুবই জরুরি।

আর চোখে যাতে সবারই চামড়া থাকে, সে ব্যাপারে চক্ষু বিভাগ অবশ্যই ব্যবস্থা নিতে পারে। কিন্তু চক্ষু বিভাগকে যদি ব্যবস্থা নিতে হয়, তাহলে অবশ্যই চর্ম বিশেষজ্ঞের দরকার পড়বে।

চক্ষু বিভাগে যখন কোনো রোগী আসবে, তখন প্রথমেই পরীক্ষা করে দেখতে হবে, তার চোখে চামড়া আছে নাকি নেই। নানাভাবে এটা পরীক্ষা করা যেতে পারে। যেমন–তিনি যদি সরকারি কর্মচারী হন, তাঁকে জিজ্ঞেস করা যেতে পারে, 'জিনিসপত্রের যা দাম, তাতে খরচ তো কুলানো যায় না। কী বলেন?'

তিনি বলবেন, 'আর বলবেন না, জিনিসপত্রের দাম খুবই বেড়ে গেছে।'

'বেতনের টাকায় তো এক সপ্তাহ চলে না। কী বলেন?'

'আরে, কী বলেন এক সপ্তাহ! আমার তো তিন দিনও যায় না।'

'তাহলে আপনার মাসের বাকি ২৭ দিন কীভাবে যায়? এক্সট্রা ইনকাম-টিনকাম আছে তো?'

তখন তাঁর চোখের পাতার দিকে তাকিয়ে থাকতে হবে। পাতা কাঁপছে নাকি কাঁপছে না। তিনি কি কাঁচুমাচু ভঙ্গিতে বলছেন, 'আরে, কিছু এক্সট্রা না থাকলে কি চলে?' নাকি বুক উঁচু করে বলছেন, 'আরে, আমার ঢাকায় তিনটা বাড়ি আছে, শুধু ভাড়া থেকেই যা আসে, তাতেই চলে যায়।'

আমাদের চোখের চামড়া বড় দরকার। আমাদের দেশে কোনো পুরস্কার কমিটির প্রধান তাঁর স্ত্রীকে কিংবা সন্তানকে, কিংবা মামাকে, কিংবা দাদাকেই এই পুরস্কারের জন্য সবচেয়ে উপযুক্ত বলে মনে করে থাকেন। কেউ কেউ আবার নিজেকেই ওই পুরস্কারের সবচেয়ে যোগ্য ব্যক্তিটি বলে ঘোষণা করে ফেলেন। সেই যে কৌতুক আছে, একটা খাবার দুই ভাগে ভাগ করতে হবে, কারণ, খাবে দুই বন্ধু। যে ভাগ করল, সে-ই বড় টুকরাটা নিয়ে নিল। দ্বিতীয় বন্ধু বলল, 'এটা তুই কী করলি? নিজেই ভাগ করলি আবার নিজেই বড় টুকরাটা নিয়ে নিলি!' প্রথম বন্ধু বলল, 'তুই হলে কী করতি?' দ্বিতীয় বন্ধু জবাব দিল, 'আমার চোখের চামড়া আছে, আমি ছোট টুকরাটা নিতাম।' প্রথম বন্ধু বলল, 'আমিও তো তা-ই করলাম। তোকে তো ছোট টুকরাই দিলাম।'

চোখের চামড়া থাকা দরকার আমাদের সবার। আমরা নিজেদের পত্রিকায় নিজেদের বড় ছবি ছাপি, নিজেদের টিভির খবরে নিজেদের বারবার দেখাই, নিজেরা আইন প্রণয়ন করে নিজেদের বেতন বৃদ্ধি করি, প্লট বরাদ্দের দায়িত্ব পেয়ে নিজেদের নামে আগে প্লটটা নিয়ে নিই, দেশের জন্য সর্বস্ব ত্যাগ করব বলে প্রচার করতে পারি, কিন্তু নিজের দখলে থাকা সরকারি বাড়িটা, জমিটা ছাড়তে চাই না, বরং সেটা নিজের নামে চিরস্থায়ীভাবে লিখে নিতে চাই। নিজেদের নামে সরকারি স্কুল-কলেজের নামকরণ করে সেটা আবার নিজেই

উদ্বোধন করতে যাই। এবং তারপর আমরা বলে থাকি: 'আমি আবার একটু প্রচারবিমুখ।' বলে থাকি, 'আমার কোনো অহংকার নেই, এই যে আমি এত বড় শিল্পী, এ নিয়ে আমি কোনো অহংকার করি না।' একটা বড় কিছু অর্জন করার পর নিজেই বলে থাকি, 'এটা কেবল আমার মুখ উজ্জ্বল করবে না, এটা জাতির মুখোজ্জ্বল করবে।' জাতিকে ওই কথাটা বলার সুযোগও আমরা দিই না।

অথচ চোখের চামড়া ছিল নিউটনের, আমরা গল্প শুনি। নিউটন নাকি বলেছিলেন, তিনি জ্ঞানসমুদ্রের তীরে দাঁড়িয়ে নুড়ি কুড়াচ্ছেন মাত্র। আর সক্রেটিস? তিনি বলতেন, তিনি কিছুই জানেন না। আর আমরা? আমরা সবকিছু জানি। সর্ববিষয়ে আমরা পণ্ডিত। আমরা বিশেষজ্ঞ নই, এমন কোনো বিষয় এখনো এই ধরণীতে জন্ম নেয়নি।

কাজেই আমাদের চোখের চামড়া দরকার। যেটুকু চামড়া জন্মগতভাবে আমরা লাভ করি, আচার-আচরণের মধ্য দিয়ে তা আমরা হারিয়ে ফেলি। চক্ষু বিভাগের চর্ম চিকিৎসক আমাদের সেই হারানো চামড়া ফিরিয়ে দিতে যদি পারেন, তাহলে না একটা কাজের কাজ হয়।

০২-০৮-২০১১

আমি চিনি গো চিনি তোমারে

বহুদিন আগে এক কলাম লেখক লিখেছিলেন, বাজারে গেলাম, খাসির দরে মুরগি কিনিয়া ফিরিলাম। এই কথা এখনো লেখা যায়, রুই মাছ কিনবেন বলে পকেটে টাকা নিয়ে গেছেন, ওই টাকায় একটা আস্ত পুঁটি মাছ কিনে ফিরেছেন। তারপর ওই পুঁটি মাছটাকেই কয়েক টুকরো করে কেটে তার মাথা, পেটি, লেজ, পুরো পরিবার-পরিজন মিলে খেয়ে তৃপ্তির ঢেঁকুর তুলতে পারবেন। তো আমাদের সোনার বাংলাদেশে আমাদের ক্রয়ক্ষমতা বেড়েছে, জিনিসপত্রের দামও বাড়তে বাধ্য। আমাদের হয়তো খাদ্যগুদামের সংখ্যা ও ধারণক্ষমতাও বেড়ে গেছে। না হলে একদিন দেখা গেল, বাজার থেকে চিনি উধাও। অত চিনি ওরা লুকাল কোথায়? পরের দিন সেই চিনি বেরিয়ে পড়ল, ফিরে এল বাজারে। কারণ কী? গোয়েন্দারা নাকি পিঁপড়ের মাথায় ছোট্ট গোপন ক্যামেরা লাগিয়ে দিয়েছিলেন, ফলে সহজেই উদ্‌ঘাটন করা সম্ভব হয়েছে, চিনি কোথায়। রবীন্দ্রনাথের সার্ধশততম জন্মবার্ষিকীতে চিনি নিয়ে একটা ছিনিমিনি খেলা চলবে, তা তো এই বাংলায় স্বাভাবিক। কারণ রবীন্দ্রনাথ চিনি নিয়ে গান লিখেছেন, আমি চিনি গো চিনি তোমারে ওগো বিদেশিনী। তুমি থাকো সিন্ধুপারে...। এই গান যে চিনি বা সুগার নিয়ে লেখা, তা স্বয়ং রবীন্দ্রনাথ দাবি করেছিলেন। শান্তিনিকেতনের বিদেশি গবেষক এন্ড্রুজ সাহেব একদিন এক অধ্যাপককে বলছেন, জানেন, গুরুদেব সুগার নিয়ে একটা গান লিখেছেন। কী গান? আমি চিনি গো চিনি তোমারে ওগো বিদেশিনী। অধ্যাপক বললেন, কে বলল আপনাকে এই গান চিনি নিয়ে লেখা।

কেন? স্বয়ং গুরুদেব বলেছেন! আমাকে তিনি গানটা শোনালেন। আমি বললাম, গানটা ভীষণ মিষ্টি। গুরুদেব বললেন, চিনি নিয়ে গান লিখেছি, মিষ্টি হতে বাধ্য।

বাজার সত্যি গরম। তার ওপর লোডশেডিং। গিন্নির মেজাজ গরম। গ্যাস মিলছে না, গ্যাসের চুলার নিচে মাটির চুলা বসিয়ে কাঠের লাকড়ি দিয়ে রান্না করতে হচ্ছে। তার ওপর সংবাদপত্রের পাতা খুললেই দুঃসংবাদ আর দুঃসংবাদ।

এই অবস্থায় আমি ঠিক করেছি, আপনাদের কৌতুক পরিবেশন করব। সব কৌতুকই ইন্টারনেট থেকে নেওয়া, বলা বাহুল্য।

স্বামী অচেতন অবস্থায় হাসপাতালে পড়ে আছেন। স্ত্রী তাঁর পাশে একটা মোড়া নিয়ে বসে আছেন। স্বামীর জ্ঞান মাঝেমধ্যে ফিরে আসে। তিনি চোখ মেলেন। একবার সংজ্ঞা ফিরে পেয়ে স্বামী চোখ মেললেন। তিনি অস্ফুট স্বরে কী যেন বলছেন। স্ত্রী তাঁর কান স্বামীর মুখের কাছে নিলেন। স্বামী বলছেন, তুমি সব সময়ই সব সংকটে আমার পাশে ছিলে। যখন আমি শেয়ার মার্কেটে ধরা খেলাম, তখন তুমিই ছিলে আমার পাশে। যখন রাস্তায় আমাকে ছিনতাইকারী ছুরি মারল, আমি হাসপাতালের বিছানায় পড়ে রইলাম, তুমিই ছিলে আমার পাশে। যখন পকেটমার ভেবে আমাকে গণপিটুনি দেওয়া হলো, তখনো তুমি ছিলে আমার সঙ্গে। যখন আমার চাকরি চলে গেল, তখনো তুমিই ছিলে আমার পাশে। এ থেকে আমি একটা সিদ্ধান্তে উপনীত হতে পেরেছি।

কী? স্ত্রী শুধালেন।

আসলে তুমিই অপয়া। তুমিই আমার জীবনে দুঃখকষ্ট নিয়ে এসেছ। তুমি যেখানে থাকো, সেখানেই দুর্ভাগ্য বয়ে আনো।

বাদ দিন। অকৃতজ্ঞ স্বামীর কথায় আমরা বেশি পাত্তা দেব না। কিন্তু আমাদের কাজ করে যেতে হবে। খুব মন দিয়ে, ঐকান্তিক নিষ্ঠার সঙ্গে আমাদের কাজ করে যেতে হবে। যেমন করেছিলেন একজন মিনিস্টার। আমেরিকার এক ছোট শহরে। এই মিনিস্টার মানে মন্ত্রী নন। বরং পাদরি বা যাজক বলা যেতে পারে। এক মিনিস্টার, তিনি তাঁর জীবনের প্রথম শেষকৃত্য অনুষ্ঠান পরিচালনার অভিজ্ঞতা বলছেন। 'সেটা ছিল আমার প্রথম কাউকে সমাহিত করা। আমাকে খবর দেওয়া হলো, অমুক সমাধিক্ষেত্রে একজন মৃতকে সমাহিত করার অনুষ্ঠানটি আমাকেই পরিচালনা করতে হবে। আমি সেই সমাধিক্ষেত্রের দিকে নিজে গাড়ি চালিয়ে রওনা হলাম। কিন্তু ঠিকানাটা আমার সঠিকভাবে জানা ছিল না। যেহেতু আমি ছিলাম তরুণ, তাই কাউকে ঠিকানা জিজ্ঞেস করাটা ছিল আমার পক্ষে অবমাননাকর। আমি নিজেই মানচিত্র দেখে ওই সমাধিক্ষেত্র খুঁজে বের করলাম। দেখলাম, কফিন রেডি। সমাধি খোঁড়ার কাজটাও হয়ে গেছে। গোরখোদকেরা তখন দুপুরের খাবার খাচ্ছে। আমি জানি, এই সমাধিক্ষেত্র খুঁজে পেতে আমার এক ঘণ্টা দেরি হয়ে গেছে। আমি বললাম, দেরি হয়ে গেছে। আর দেরি করা উচিত নয়। আমরা কাজটা সারি। গোরখোদকেরা বলল, আমরা খাবারটা খেয়ে নিই। তারপর নামাচ্ছি।

ওরা খেয়েদেয়ে হাত লাগাল। মাটি দেওয়া হয়ে গেলে আমি বললাম, আসো, আমরা এখন এই মৃতের জন্য প্রার্থনা করি।

ওরা বলল, ওদের এত বছরের অভিজ্ঞতায় এই ঘটনা প্রথম। সেপটিক ট্যাংকের ভেতরে যন্ত্র নামানোর পরে কেউ কোনো দিনও তাদের প্রার্থনা করতে বলেনি। মিনিস্টার বুঝলেন, তিনি যা করেছেন, সবই পণ্ডশ্রম। তিনি ভুল জায়গায় এসে ভুল কর্মের নেতৃত্ব দিচ্ছেন।

আমাদের মিনিস্টারদের আমরা বলতে পারি, সব ঠিকানা আপনাদের জানা না-ও থাকতে পারে। নিজে নিজে পথ চলে ভুল ঠিকানায় হাজির না হয়ে পথে কাউকে জিজ্ঞেস করা যেতে পারে স্থানটা কোথায়। বহু কাজ তাড়াহুড়া করে করে ফেলার পর দেখা যাচ্ছে, কাজটা ঠিক হয়নি। যেমন–সংবিধান সংশোধন কিংবা ফাঁসির দণ্ডপ্রাপ্ত আসামিকে ক্ষমা করে দেওয়া।

আল গোরের চাচার চাচাকে নিয়ে একটা কৌতুক প্রচলিত আছে। ক্লিনটনের ভাইস প্রেসিডেন্ট আল গোরের স্ত্রী জানতে পারলেন, আল গোরের চাচার চাচা ছিলেন ঘোড়াচোর। তার একটা ছবির নিচে লেখা আছে, গান্টার গোর, ঘোড়াচোর। জেলে গেছেন ১৮৮৩ সালে, ১৮৮৭ সালে পালিয়েছেন জেল ভেঙে। ছয়বার সরকারি আস্তাবলে চুরি করেছেন, শেষে ধরা পড়েছেন গোয়েন্দাদের হাতে। বিচার শেষে ১৮৮৯ সালে তাঁকে ফাঁসি দেওয়া হয়।

এই ফটোটা তুলে দেওয়া হয় প্রেসিডেন্ট ক্লিনটনের ভাবমূর্তিবিষয়ক পেশাদার পরামর্শকদের হাতে। তাঁরা খুব সুন্দর করে এই ছবি উদ্ধার করে নিচে লেখেন, গান্টার গোর ছিলেন উনিশ শতকের এক বিখ্যাত ঘোড়া বিশেষজ্ঞ। তিনি ১৮৮৩ সালে সরকারের একটা প্রতিষ্ঠানে নিজের মূল্যবান চারটা বছর উৎসর্গ করেন, তারপর সেখান থেকে স্বেচ্ছায় সরে আসেন। ১৮৮৭ সালে তিনি সরকারি গোয়েন্দা কাজকর্মের মূল ভূমিকায় গুরুত্বপূর্ণ দায়িত্ব পালন করেন। ১৮৮৯ সালে তাঁর সম্মানে আয়োজিত একটা সরকারি অনুষ্ঠানের মঞ্চটি ভেঙে পড়লে তিনি দুঃখজনকভাবে মৃত্যুবরণ করেন।

এই কাহিনি নিতান্তই কাল্পনিক। তবে এ রকম একদল ভাবমূর্তি রচনাকারী পেশাদার বিশেষজ্ঞ মনে হচ্ছে দরকার। যাঁরা বিভিন্ন গুরুত্বপূর্ণ ব্যক্তির ধুলায় লুটিয়ে পড়া ভাবমূর্তি পুনরুদ্ধার করতে নানা কৌশল অবলম্বন করবেন।

১৬-০৮-২০১১

মৃত্যু আমাকে নেবে, পার্লামেন্ট আমাকে নেবে না

এই গল্পটা আগেও শুনিয়েছি, আবারও শোনাচ্ছি।

আমাদের বাসায় একটা টিয়া পাখি ছিল। সে কথা বলতে পারত। বাড়িতে কেউ এলেই সে বলত, 'মেহমান এসেছে, বসতে দাও।'

আমরা টিয়া পাখিটাকে খুব আদর করতাম। স্কুল থেকে এসে প্রথম কাজই ছিল টিয়া পাখিটার কাছে যাওয়া। তাকে লাল রঙের মরিচ খেতে দেওয়া। সে বলত, 'ধন্যবাদ। আরও দাও।'

একদিন রাতের বেলা। গ্রিল ভেঙে একটা চোর ঢুকে পড়ল আমাদের বাসায়। আমরা সবাই ঘুমিয়ে ছিলাম। কিন্তু টিয়া পাখিটা জেগে গিয়েছিল। সে বলল, 'মেহমান এসেছে, বসতে দাও।'

আমাদের ঘুম ভেঙে গেল। ঘরের মধ্যে চোর। আমরা চোরটাকে জড়িয়ে ধরলাম। চিৎকার-চেঁচামেচিতে দারোয়ানেরা ছুটে এল। চোরটাকে দড়ি দিয়ে বাঁধা হলো। থানায় ফোন করে পুলিশ ডাকা হলো। পুলিশ এসে চোরটাকে ধরে নিয়ে গেল।

ছয় মাস পরে চোরটা ছাড়া পেল জেলখানা থেকে।

একদিন দুপুরবেলা। আমরা কেউ বাসায় ছিলাম না। চোরটা আমাদের বাসায় এসে ঢুকল বাড়ির পেছন দিয়ে, গ্রিল কেটে। টিয়া পাখিটাকে বের করল খাঁচা থেকে। সে পাখিটাকে পায়ে চেপে ধরে তার মাথাটা ঠেসে ধরল শানের মেঝেতে। একটা পাথরের ইয়া বড় টুকরা নিয়ে ঘা মারল পাখিটার মাথায়। পাখিটার মাথা গেল থেঁতলে। মগজ ছিটকে বেরিয়ে দেয়ালে গেঁথে রইল। চোরটা চলে গেল গ্রিলভাঙা পথ দিয়ে। আমরা ফিরে এসে দেখি, পাখিটা মরে পড়ে আছে। দেয়ালের গায়ে পাখিটার মগজ। থেঁতলানো মাথার পাশে রক্ত। আমরা কাঁদতে লাগলাম।

তাকে আমরা কবর দিয়েছি আমাদের বাড়ির পেছনের বাগানে। আমি রোজ ফুল দিয়ে আসি ওই পাখিটার কবরে।

কাল ঘুমের ঘোরে চমকে উঠেছি। শুনি পাখিটা বলছে, 'মেহমান এসেছে, বসতে দাও।' ঘুম ভেঙে গেলে বুঝি, স্বপ্ন দেখছিলাম। চোখের জল বাঁধ মানল

না। ডুকরে কেঁদে উঠলাম। বালিশ ভিজে যাচ্ছে। বাইরে বোধ হয় বৃষ্টি হচ্ছে। প্রকৃতিও আমার সঙ্গে কাঁদছে।

২

ওপরের গল্পটা বললাম আপনাদের মনটা আর্দ্র করে দেওয়ার জন্য। লেখকদের এই কৌশলগুলো জানা থাকে। তাঁরা লেখার মাধ্যমে পাঠককে হাসাতে পারেন, কাঁদাতেও পারেন। এই যে পাথর দিয়ে টিয়া পাখির মাথা থেঁতলে দেওয়ার ঘটনা, এটা পড়তে আমাদের কষ্ট হয়। এত নিষ্ঠুরতা আমরা সহ্য করতে পারি না।

এবার আরেকটা গল্প।

ছেলেটার নাম আনিস। সে এসেছে রংপুর থেকে। রংপুর কলেজ থেকে আইএসসি পাস করে ঢাকায় এসেছে কোথাও ভর্তি হবে বলে। জিপিএ ফাইভ পাওয়া ছেলে। তার ইচ্ছা বুয়েটে ভর্তি হয়। কিন্তু বুয়েটে বড় কঠিন প্রতিযোগিতা। হাজার হাজার ছেলে জিপিএ ফাইভ পেয়েছে। এর মধ্যে মাত্র ৫৫০ জন সুযোগ পাবে বুয়েটে। ছেলেটা ঢাকায় এসে ভর্তি হয়েছে কোচিং সেন্টারে। ঢাকায় সে থাকে একটা মেসে। একটা চারতলা বাড়ির অন্ধকার নিচতলায় তিনটা রুম, দুটো বাথরুম, রান্নাঘর, এক চিলতে বারান্দা। এটাই তাদের মেস। রায়েরবাজারের এক গলির ভেতরে। প্রতিটা রুমে তিনজন করে বোর্ডার থাকে। এক হাজার টাকায় কেনা চৌকির ওপরে আনিসের শয্যা। বেতের শেলফ কিনেছে। বইপত্র রাখতে হয়। ফিজিক্স, কেমিস্ট্রি, ম্যাথের বই ছাড়াও তার বুকশেলফে শোভা পাচ্ছে কবিতার বই, গল্পের বই, প্রবন্ধ। ছেলেটার লেখালেখিরও বড় শখ। সে কবিতা পড়তে পছন্দ করে। শামসুর রাহমান, নির্মলেন্দু গুণ ছেলেটার প্রিয় কবি।

ভর্তি পরীক্ষার প্রস্তুতির জন্য সে নিজে কোচিং সেন্টারে যায়, আবার এরই মধ্যে সে টিউশনিও জোগাড় করে নিয়েছে। দুটো ছাত্রকে সে পড়ায়। একই বাড়ির দুই ভাই। তারা পড়ে ক্লাস নাইনে আর ক্লাস সেভেনে। অপু আর তপু। ওদের বোন আছে, অনন্যা। সে আইএসসি পড়ে। তার শিক্ষকের দরকার হয় না। অনন্যা নিজেই কোচিং সেন্টারে যায়। আনিসের খুব ইচ্ছা করে, অনন্যা তার কাছে এক-আধ দিন আসুক। এসে বলুক, 'ডিনামিক্সের এই প্রবলেমটা সলভ করতে পারছি না। করে দেবেন একটু?' আনিস নিশ্চয়ই তা করে দেবে। অনন্যাকে পড়ানোর জন্য সে অতিরিক্ত কোনো টাকা নেবে না।

বাড়িতে তার মা আছেন। বাবা অবসরপ্রাপ্ত সরকারি কর্মকর্তা। ভাইয়েরা সবাই ছাত্র। মা-বাবার কাছ থেকে আনিস কোনো টাকা-পয়সা নেয় না। মাকে সে মাঝেমধ্যে মোবাইলে ফোন করে। মা তাকে জিজ্ঞেস করেন, 'বাবা, কেমন আছিস? খাওয়া-দাওয়া ঠিকমতো করিস? তোদের মেসে কে রাঁধে? বেটাছেলের রান্না খেতে পারিস? বাড়ির পেছনের গাছটার আম পাকল। তোর জন্য ফ্রিজে রেখে দিয়েছি। ঈদে এলে খাবি। তুই না খুব পছন্দ করিস?'

আনিস চোখ মোছে। মা কথাটাই যে বড় মায়া দিয়ে তৈরি।

সেদিন সন্ধ্যা। আনিস জিগাতলা দিয়ে রায়েরবাজারের দিকে যাচ্ছে। হঠাৎ করে হাইজ্যাকার হাইজ্যাকার বলে আওয়াজ। দৌড়াদৌড়ি। আনিস কিছু বুঝতে পারে না, সে কোন দিকে দৌড় দেবে। একটা ছেলে, হাতে একটা রিভলবার, গুলি ছুড়তে ছুড়তে এদিকেই আসছে। আনিস প্রাণভয়ে দৌড়াতে থাকে।

হঠাৎ তার সামনে এসে থামে একটা টেম্পো। ওই যানবাহন থেকে নামে কয়েকজন সাদা পোশাকের পুলিশ। তারা তাকে জাপটে ধরে—'একটাকে ধরেছি।' ওদিকে ওই রিভলবারধারীকেও ধরে ফেলা হয়েছে। তাকে জনতা মার দেওয়া শুরু করেছে। জনতা আনিসের কাছেও চলে এল। তাকে ঘিরে ধরল। বলল, 'এরে ছাইড়া দেন। এরে মাইর দেওন লাগব। মাইরের ওপরে ওষুধ নাই। থানায় নিলেই তো জামিন পাইব। বাইরায়া আইয়া আবার ছিনতাই করব।'

আনিস প্রাণপণে বলছে, 'শোনেন, আমি ছিনতাইকারী নই। আমি একজন ছাত্র। আমি বুয়েটে পড়ব বলে রংপুর থেকে এসেছি। আমি জিপিএ ফাইভ পেয়েছি।' কে শোনে কার কথা। লাঠির বাড়ি এসে পড়ে মাথায়। আনিস মাটিতে লুটিয়ে পড়ে। মানুষ যেভাবে সাপ পিটিয়ে মারে, তেমনিভাবে মার খেতে থাকে আনিস। তার মাথার ঘিলু বেরিয়ে গেছে। সে তার মায়ের মুখটা মনে করার চেষ্টা করছে। মা বলেছেন, 'ঈদে আয়, তোর জন্য ফ্রিজে আম রেখে দিয়েছি।'

এই গল্পটা তো হতে পারত আমারই জীবনের গল্প। আমার জন্ম যদি হতো ২৫ বছর পরে, তাহলে আমি তো বুয়েটে ভর্তির আগেই মারা যেতে পারতাম। ক্রসফায়ারে। গণপিটুনিতে। শুধু আমি কেন, আপনার-আমার ছেলে, ভাই, ভাগনে, আপনি, আমি নিজেই যেকোনো সময় গণপিটুনির শিকার হতে পারি। ক্রসফায়ারে মারা যেতে পারি।

এক টিয়া পাখির মৃত্যুর গল্প পড়েই যে-আপনি মন খারাপ করেছেন, গণপিটুনিতে মানুষের মৃত্যুর খবর সেই আপনি কীভাবে সহ্য করতে পারেন?

কবি আবুল হাসানের কবিতা আছে:

মৃত্যু আমাকে নেবে জাতিসংঘ আমাকে নেবে না, আমি তাই আমার মৃত্যুর আগে বলে যেতে চাই, বন্ধুগণ ক্ষান্ত হোন, কী লাভ যুদ্ধ করে। ভ্রাতৃহত্যায় কী লাভ?

মাত্র ২৮ বছর বয়সে কবি আবুল হাসান মারা গিয়েছিলেন। মৃত্যু তাঁকে নিয়েছে, কিন্তু আমরা ক্ষান্ত হইনি। আমরা মেরেই চলেছি। মানুষ হত্যা করে আমরা উল্লাস করছি। আমাদের পাপের পেয়ালা কানায় কানায় পূর্ণ হয়ে উঠছে। এর পরিণতি ভালো হওয়ার নয়।

১৩-০৯-২০১১

কৌতুকের ছলে, কথা যাই বলে

'আমি আমার দাদার মতো শান্তিতে ঘুমের মধ্যে মরতে চাই। তার গাড়ির যাত্রীদের মতো চিৎকার চেঁচামেচি করে মরতে চাই না।'

গাড়িচালক যদি গাড়ি চালাতে চালাতে ঘুমিয়ে পড়েন, তাহলে তাঁর মৃত্যুটা হয়তো শান্তিরই হয়, যাত্রীদের মৃত্যুটা শান্তির হয় না।

পশ্চিমে এই কৌতুকটা খুব প্রচলিত। একজন পাদরি, আরেকজন বাস ড্রাইভার। তাঁরা স্বর্গ পাবেন নাকি নরক পাবেন, এই হিসাব চলছে। পাদরিকে স্বর্গের একটা মধ্য মানের কক্ষ বরাদ্দ করা হলো। আর চালকের জন্য বরাদ্দ হলো ফার্স্ট ক্লাস কক্ষ। পাদরি বললেন, 'আমি সারা জীবন ঈশ্বরের জন্য কাজ করলাম, কত উপদেশ দিলাম মানুষকে, আর আমার চেয়ে একজন বাসচালক স্বর্গে উচ্চ স্থান লাভ করল? তা কী করে হয়?'

উত্তর এল, 'তুমি যখন উপদেশ দিতে, তখন শ্রোতারা প্রায়ই ঘুমিয়ে পড়ত। আর বাসচালক যখন বাস চালাত, তখন সবার ঘুম ছুটে যেত, সব যাত্রীই ঈশ্বরকে ডাকত।'

প্রথম আলোর যুগ্ম সম্পাদক আব্দুল কাইয়ুম সম্প্রতি আমেরিকার যুক্তরাষ্ট্র ঘুরে এলেন। সেখানে একজন প্রবাসী বাংলাদেশি তাঁকে বাংলাদেশের এক ড্রাইভারের সম্পর্কে একটা অতি আশ্চর্য তথ্য দিয়েছেন। একজন চালক গাড়ি চালাচ্ছে রাস্তার মাঝখান দিয়ে, ঠিক মধ্যিখানে যে দাগটা আঁকা, তার ওপর দিয়ে। তাকে বলা হলো, তুমি তোমার লেন দিয়ে গাড়ি চালাও। বাঁ দিক দিয়ে গাড়ি না চালিয়ে রাস্তার মধ্যিখান দিয়ে চালাচ্ছ কেন? ড্রাইভার বলল, দাগের ওপর দিয়া গাড়ি চালাইলে গাড়িটা সোজা চালানো যায়।

সর্বনাশ! এরা কি লেন বিভাজক দাগটাকে গাড়ি সোজা চালানোর দাগ বলে ভাবে নাকি?

এই জন্যই বলছি, আমাদের চালকদের প্রশিক্ষণ দিন। তাঁদের গাড়ি চালানোর ব্যাপারে দক্ষ হতে হবে, সব ট্রাফিক আইন জানতে ও মানতে পারতে হবে এবং তাঁদের মূল্যবোধ থাকতে হবে, তাঁরা যেন জানেন ও বোঝেন যে জীবন

মূল্যবান। আর দেখতে হবে, তাঁরা যেন অতিরিক্ত পরিশ্রম না করেন, তাঁরা যেন সুস্থ থাকেন।

সেবার ঢাকা শহরে মেয়র নির্বাচন হচ্ছিল। মোহাম্মদ হানিফ আর মির্জা আব্বাস ভোটে দাঁড়িয়েছেন। মির্জা আব্বাস তখনো মেয়রের দায়িত্বই পালন করছেন। আমি একজন স্কুটারচালককে প্রশ্ন করলাম, কাকে ভোট দেবেন। তিনি বললেন, হানিফ সাহেবকে। কেন?

আর বলবেন না, আমাদের ড্রাইভিং লাইসেন্স নিয়ে বড় ঝামেলা করছে। হাজার টাকা দিয়ে লাইসেন্স কিনেছি। পুলিশ বলে, লাইসেন্স দুই নম্বর।

আমি বললাম, আপনি বিআরটিএতে গিয়ে পরীক্ষা দিয়ে আসল লাইসেন্স বের করুন।

তিনি বললেন, স্যার, বিআরটিএর পরীক্ষা খুবই কঠিন। লিখিত পরীক্ষা, মৌখিক পরীক্ষা, প্র্যাকটিক্যাল পরীক্ষা। প্র্যাকটিক্যালটা স্যার আমরা পারি। কিন্তু লিখিত পরীক্ষা পারি না। ম্যাট্রিক পাস ছাড়া ওই পরীক্ষায় কেউ পাস করতে পারব না। স্যার, দেশ চালাইতে কোনো পাস লাগে না, আর বেবিট্যাক্সি চালাইতে লাগব ম্যাট্রিক পাস?

ভারী যান চালাতে দক্ষতার সঙ্গে শিক্ষারও নিশ্চয়ই দরকার আছে। কিন্তু বাস্তব হলো, যাঁরা গাড়ি চালাচ্ছেন, তাঁদের আমরা এক দিনে বসিয়ে দিতে পারব না। আর প্রাতিষ্ঠানিক শিক্ষাই একমাত্র শিক্ষা নয়। মানুষ নানাভাবে শিখতে পারে। বিশ্বজোড়া পাঠশালা মোর সবার আমি ছাত্র। বহু উচ্চ শিক্ষিত মানুষের মূল্যবোধ নেই, অনেক তথাকথিত কম শিক্ষিত মানুষও উচ্চায়ত আদর্শ, উচ্চতর মূল্যবোধ দিয়ে চালিত হন। কাজেই আমার পরামর্শ হলো, আমাদের চালকদের প্রশিক্ষণ দেওয়া হোক। ড্রাইভিং লাইসেন্স পাওয়ার শর্ত হবে, ওই ট্রেনিংটা সম্পূর্ণ করা। সেই ট্রেনিংয়ে ট্রাফিক আইন সব শিখিয়ে দেওয়া হবে। সিগন্যাল চেনানো হবে। আর বারবার করে বলা হবে, জীবনের চেয়ে মূল্যবান আর কিছুই নেই।

আবার কৌতুক।

'তুমি কীভাবে অ্যাকসিডেন্ট করেছ?'

'আমি গাড়ি চালাচ্ছি। দেখলাম একটা বাস আসছে, সাইড দিলাম। তারপর দেখি একটা ট্রাক আসছে। সাইড দিলাম। তারপর দেখি একটা ব্রিজ আসছে। সেইটাকে যেই সাইড দিয়েছি...'

আরেকজন ড্রাইভার কীভাবে অ্যাকসিডেন্ট করলেন, সেটা শুনুন। 'রাতের বেলা গাড়ি চালাচ্ছি। দেখি, একটা মোটরসাইকেল ডান দিক দিয়ে আসছে। আমি বাঁয়ে সরে গেলাম। এরপর দেখি আরেকটা হেডলাইট। এটা আসছে বাঁ দিক থেকেই। আমি ডানে সরে গেলাম। এরপর দেখি দুইটা হেডলাইট, মানে

দুইটা মোটরসাইকেল, ডান দিকে আর বাঁ দিকে। আমি কী করব বুঝতে না পেরে মাঝখান দিয়ে গাড়ি চালাতে চাইলাম। তখনই...'

একজন লোক গাড়ি চালাচ্ছেন। তাঁর কাছে ফোন এল। শোন, শুনতে পেলাম তোদের ওই রুটে একজন রাস্তার উল্টো লেন দিয়ে গাড়ি চালাচ্ছে। তুই সাবধানে যা। লোকটা উত্তর দিল, 'না রে। একটা গাড়ি না। আমি দেখছি শত শত গাড়ি উল্টো লেন দিয়ে আসছে।'

আমাদের দেশে রাস্তাঘাট খারাপ। মহাসড়ক বলতে কিছু নেই। মহাসড়কে গরুগাড়ি চলে, হাটবাজার বসে। গাড়ি লক্কড়ঝক্কড় মার্কা। ট্রাফিক নিয়ম বলতেও কিছু নেই। আর গাড়িগুলো ট্রাফিক সিগন্যাল মানছে কি না, তা দেখারও কেউ নেই। বিআরটিএ দুর্নীতির আখড়া। একে তো গরিব দেশ, তার ওপর আবার দুর্নীতিগ্রস্ত। এই দেশে আমরা যারা বেঁচে আছি, তারা দৈবাৎই বেঁচে আছি।

আপনারা আবার ভাববেন না, আমার অ্যাকসিডেন্ট হয়নি বলে আমি এত কথা বলছি। তা নয়। আমি দুইবার বড় অ্যাকসিডেন্টে পড়েছি। একবার বন্ধুসভার অনুষ্ঠান করে মাইক্রোবাসে নোয়াখালী থেকে ফেরার পথে কুমিল্লা পেরিয়ে আমাদের মাইক্রোবাস দুর্ঘটনায় পড়ে। আমাদের সঙ্গে ছিলেন বন্ধুসভার কর্মী মেজবা আযাদ। ভাঙা কাচের টুকরায় তিনি রক্তাক্ত হন। অক্ষত ছিলেন ফারুক আহমেদ। তিনি ঘুমিয়ে ছিলেন। ঘুম থেকে উঠে জিজ্ঞেস করলেন, কী হয়েছে? অ্যাকসিডেন্ট। শোনার সঙ্গে সঙ্গে তিনি জ্ঞান হারান।

একটু পর আমার কাছে *প্রথম আলোর* রংপুর প্রতিনিধি আরিফুল হকের ফোন আসে। 'শুনলাম, তুমি মারা গেছ। তাই তোমাকেই ফোন করে জানতে চাচ্ছি, তুমি ঠিক আছ কি না?'

এরপরের দুর্ঘটনাটা ঘটে ঢাকার শেরাটন হোটেলের সামনে। আমি যাচ্ছি সিএনজিচালিত ত্রিচক্রযানে। সামনে একটা মিনিবাস দাঁড়িয়ে আছে। আমাদের বেবিট্যাক্সি তার পেছনে দাঁড়াল। পেছন দিক থেকে এসে একটা মিনিবাস আমাদের ওই বেবিট্যাক্সিকে ধাক্কা দিয়ে ঠেলতে লাগল। দুই মিনিবাসের চিপায় পড়ে আমি আর আমার বেবিট্যাক্সিচালক স্যান্ডউইচ হয়ে গেলাম। আমি বলি, ডাবল চিজ স্যান্ডউইচ।

রক্তাক্ত শরীর নিয়ে অতিকষ্টে ভাঙা ট্যাক্সি থেকে বেরিয়ে আমি চিৎকার করে উঠেছিলাম, 'আমার নাম আনিসুল হক, আমাকে একটু কেউ হাসপাতালে নিয়ে যান।' সে বিরাট গল্প। শুধু আমি নিজেকে বলি, দ্য গ্রেট সারভাইভার অব এ মিনি বেবি অ্যাকসিডেন্ট। বেঁচে আছি বলে এই নিয়ে রসিকতা করতে পারি। বলি, মরলে ভারি দুর্নাম হতো। মিনি বেবি অ্যাকসিডেন্টে কেউ মরে? দুটো ডাবল ডেকারের মাঝখানে পড়লে না নাম হতো!

না, দুর্ঘটনা কোনো কৌতুকের বিষয় নয়। প্রতিবছর হাজার হাজার মানুষ সড়ক দুর্ঘটনায় মারা যাচ্ছে। এদের প্রত্যেকের কাহিনি পড়লে আমাদের চোখে জল আসে। পৃথিবী স্থির হয়ে যায়। আমরা চাই না আর একজন মানুষও অপঘাতে মারা যাক। সবাই মিলে সেই চেষ্টাই আমাদের করতে হবে। আমরা চাইছি সবাইকে সজাগ করতে। গাড়ি চালানোর সময় ঘুমিয়ে পড়া যেমন বিপজ্জনক, দেশ চালানোর সময় ঘুমিয়ে পড়াও তেমনি ভয়াবহ। আমাদের জেগে থাকতে হবে এবং জাগিয়ে তুলতে হবে।

১০-০৫-১১

আমরা কাটিব রগ...

রবিঠাকুরের ১৫০তম জন্মবর্ষ পালন করতে গিয়ে একটা লাভ হয়েছে। একটা নতুন শব্দ যোগ হয়েছে আমার শব্দভান্ডারে। সার্ধশত। সাধারণ বুদ্ধিতে বুঝি: স+অর্ধ+শত=সার্ধশত। অভিধানে দেখে নিয়েছি, সার্ধ মানে দেড় বা সাড়ে। সার্ধশত মানে দেড় শত। রবীন্দ্রনাথ নিজে সহজ শব্দ পছন্দ করতেন। তাঁর এক সহকারীর সংস্কৃত দাঁতভাঙা একটা নাম ছিল। কঠিন সংস্কৃত নাম ধরে তিনি তাঁকে ডাকতে অস্বীকৃতি জানিয়েছিলেন। সহকারীর ভাইয়ের নাম ছিল পটল। রবিবাবু তাই ওই সহকারীর নাম দিয়েছিলেন 'আলু'।

রবীন্দ্রনাথের সার্ধশততম জন্মবার্ষিকী উপলক্ষে কবির সমসাময়িকতা নিয়ে ব্যাপক গবেষণা চলছে। তিনি কি আদৌ আমাদের কাছে প্রাসঙ্গিক? এ নিয়ে বিশাল সেমিনার হয়ে গেছে, একেবারে আন্তর্জাতিক সেমিনার। বিশেষজ্ঞ ব্যক্তিরা বক্তব্য দিয়েছেন। তাঁরা নানাভাবে প্রমাণ করার চেষ্টা করেছেন, রবিবাবু এখনো আমাদের নানা কাজে লাগছেন। আমরা এই বক্তাদের সঙ্গে দ্বিমত পোষণ করি না। বরং আমরা তাঁদের বক্তব্যের সমর্থনে আরও বাস্তব, আরও কঠিন প্রমাণ হাজির করতে পারব। যেমন: *কণিকা* কাব্যগ্রন্থে রবিবাবু লিখেছেন:

কে লইবে মোর কার্য্য, কহে সন্ধ্যারবি।
শুনিয়া জগৎ রহে নিরুত্তর ছবি।
মাটির প্রদীপ ছিল, সে কহিল, স্বামী,
আমার যেটুকু সাধ্য করিব তা আমি। (কর্তব্যগ্রহণ)

এ কবিতাটি আমরা কতভাবেই না প্রতিদিন বাস্তব জীবনে আচরিত হতে দেখি। যেমন:

কে লইবে মোর কার্য্য, কহে সন্ধ্যারবি।
শুনিয়া বিদ্যুৎ বোর্ড নিরুত্তর ছবি।
মোমের প্রদীপ ছিল, সে কহিল, স্বামী,
আমার যেটুকু সাধ্য করিব তা আমি।

কিন্তু সেটাও বাহ্য। এখন সর্বশেষ যা চলছে, তা হলো:

কে লইবে মোর কার্য্য, কহিল শিবির,
রগ কাটা হাত কাটা পারিবে কে বীর?
শুনিয়া নীরব হয় দেশের চৌদিক!
আমরা কাটিব রগ কহে ছাত্রলীগ।
রবিঠাকুর একই কাব্যগ্রন্থে লিখেছেন:
রথযাত্রা, লোকারণ্য, মহা ধুমধাম,
ভক্তেরা লুটায়ে পথে করিছে প্রণাম।
পথ ভাবে আমি দেব রথ ভাবে আমি,
মূর্তি ভাবে আমি দেব–হাসে অন্তর্যামী। (ভক্তিভাজন)
বলে রাখা ভালো, এখানে 'দেব' মানে 'দেবতা', 'দেবো' নয়।
কবিতাটি এখন এভাবে প্রাসঙ্গিক:
নির্বাচন, লোকারণ্য, মহা ধুমধাম,
চক্রীগণ গুপ্তকক্ষে সারিছেন কাম।
কর্মী-নেতা-সৈন্য-টাকা আর আমেরিকা,
আমিই আসল বলে লেখে ভাগ্যলিখা।
পাকি ভাবে আমি কর্তা, ইন্ডিয়া কয় আমি,
গুন্ডা কয় আমি সব, হাসে অন্তর্যামী:
আসলে জেতায় যারা তাহারা পাবলিক,
এবার বিএনপি তো সেবার আ.লীগ।
আবার একই কবিতা এভাবেও পড়া যায়:
নির্বাচনে হেরে গেছি, সব সুমসাম,
ভক্তেরা কাঁদিয়া ঘুম করেছে হারাম।
কে হারাল আমারে রে, ভাবিছেন নেতা,
ইসি, সিজি, সেনা, ডিসি কে ফল-প্রণেতা?
আমেরিকা, পাকি-দাদা, কার এ কারসাজি,
ষড়যন্ত্র নিশ্চয়ই ঘটে গেছে আজি!
বিধাতা বলেন ডেকে, শোনো ওগো নেতা,
পাঁচ বছর কী করেছ ভেবে দেখো সেটা।
তোমারই কর্মদোষে জনতার রায়
আজ দেখো কী রকম বিপক্ষেই যায়।
রবীন্দ্রনাথ লিখেছেন:
নদীর এপার কহে ছাড়িয়া নিঃশ্বাস,
ওপারেতে সর্বসুখ আমার বিশ্বাস।
নদীর ওপার বসি দীর্ঘশ্বাস ছাড়ে;

কহে, যাহা কিছু সুখ সকলি ওপারে।
এটা আজকের দিনে সংশোধিত হয়েছে এভাবেঃ
বিরোধী নেত্রী কহে ছাড়িয়া নিঃশ্বাস,
ওপারেতে সর্বসুখ আমার বিশ্বাস।
নদীর ওপার বসি নেত্রী সরকারি,
কহে, নাহি সুখ আপা, ঘুমাতে না পারি।
'ঘুম আসে না? তাহলে কি আসবেন এপারে?'
'একবার পাওয়ার পেলে সহজে কে ছাড়ে?'
সুখ নাই সুখ নাই আছে যে মমতাঃ
ছাড়িতে পারি না তাই সর্বৈব ক্ষমতা।

এভাবে রবীন্দ্রনাথ আমাদের কাছে সদাই প্রাসঙ্গিক। যেমন–বহুদিন আগে কার্টুন পত্রিকা *উন্মাদ*-এ পড়েছিলাম, 'ও আমার দেশের মাটি, তোমার 'পরে ঠেকাই মাথা'। গানটি প্রাসঙ্গিক মিনিবাসের হেলপারের ধাক্কায় ফুটপাতে পড়ে যাওয়া যাত্রীর জন্য। যেমন হয় তো গ্রামীণ ব্যাংকের কর্মচারীদের বারবার মনে হচ্ছেঃ 'যেতে নাহি দিব হায় তবু যেতে দিতে হয় তবু চলে যায়'।

কিন্তু রবীন্দ্রসংগীতের একটা ব্যবহারের কথা শুনেছি মেজর কামরুল হাসান ভূঁইয়ার কাছ থেকে। মুক্তিযোদ্ধা মেজর কামরুল মুক্তিযুদ্ধের চলন্ত বিশ্বকোষ। তিনি শোনালেনঃ একাত্তর সাল। জুলাই মাসের ৪ তারিখ। শ্রীমঙ্গলের দিলখুশ চা-বাগানের মধ্যে যুদ্ধ চলছে। মুক্তিযোদ্ধারা চা-বাগানের পাকিস্তানি সেনাদের অবস্থানে হামলা চালিয়েছেন। বাংকার থেকে পাল্টা আক্রমণ চালাচ্ছে পাকিস্তানিরা। রুহেল আহমেদ চৌধুরী নামের একজন মুক্তিযোদ্ধার উরুতে গুলি লাগে। সহযোদ্ধারা তাঁকে কাঁধে তুলে নিয়ে যেতে চাইছেন সীমান্তের ওপার। রুহেল বললেন, 'আমি তো বাঁচব না। আমার বডি কেন তোমরা ওপারে নিতে চাইছ। তার বদলে আমি এ দেশের মাটিতে শেষ ঘুম দেব। তোমরা আমাকে নিয়ে ব্যস্ত হয়ো না। যাও, যুদ্ধ করো।'

যুদ্ধ খানিকক্ষণ চলল। এবার সহযোদ্ধারা এলেন আহত মুক্তিযোদ্ধাকে উদ্ধার করতে। এসে দেখলেন, রুহেল মাটিতে মাথা রেখে গান গাইছেন, 'ও আমার দেশের মাটি, তোমার 'পরে ঠেকাই মাথা'।

রক্তে পুরো মাটি ভেসে গেছে।

মুক্তিযোদ্ধারা তাঁকে জোর করেই নিয়ে গেলেন সীমান্তের ওপারে, ব্যবস্থা করলেন চিকিৎসার। সেযাত্রা তিনি বেঁচে গিয়েছিলেন।

২৪-০৫-২০১১

সংবাদপত্রের অক্ষর কি আপনার চোখে ঝাপসা লাগে?

সকালবেলা ঘুম থেকে উঠে চোখমুখ ধুয়ে প্রাতরাশের টেবিলে বসি। সামনে থাকে এক কাপ গরম ধূমায়িত চা। আর থাকে গরম গরম পত্রিকা। পত্রিকা পড়া শুরু করি। কিন্তু পাঁচ মিনিটের মাথায় চোখে আর কিছু দেখি না। অক্ষর সব ঝাপসা হয়ে আসে। চোখের ডাক্তারের কাছে গেলাম। তাঁকে সব খুলে বললাম। তিনি ভালোভাবে চোখ পরীক্ষা করলেন। চশমার পাওয়ার আগে যা ছিল, তা-ই রইল। কিন্তু সমস্যার সমাধান হয় না। পরের দিন সকালবেলা আবারও একই সমস্যা। পাঁচ মিনিট পড়েছি কি পড়িনি, পত্রিকার অক্ষরগুলো ঝাপসা হয়ে এল। বেশ ভয় পেয়ে গেলাম। গেলাম স্নায়ুরোগ বিশেষজ্ঞের কাছে। সব শুনে তিনি নিজেই একটু ভয় পেয়ে গেলেন বলে মনে হলো। বললেন, 'ব্রেনের একটা এমআরআই আর এমআরএ করে ফেলুন। এসব সমস্যা অনেক সময় সিরিয়াস হয়ে যেতে পারে।'

ব্রেনের এমআরআই পরীক্ষাটা খুবই ভয়ংকর ধরনের জিনিস। এর আগের নির্বাচন কমিশনার আজিজ সাহেব বলেছিলেন, 'আমার কোনো শত্রুকেও যেন জীবনে কোনো দিন এমআরআই করতে না হয়।' ব্রেনের এমআরআই করতে গিয়ে আমারও একই উপলব্ধি হলো।

প্রথমে আপনাকে শোয়ানো হবে একটা উঁচু টেবিলে। তারপর আপনার মাথাটা কফিন-সদৃশ একটা চেম্বারে ঢুকিয়ে দেওয়া হবে। চোখ মেললে আপনি দেখবেন, আপনার মাথাটা যেন একটা অনড় হেলমেটের মধ্যে বন্দি। আপনার কানে দুটো রবারের প্যাড পরানো হয়েছে, যাতে শব্দ কানে কম যায়। কিন্তু ভয়ংকর শব্দ হতে থাকবে। নানা ধরনের শব্দ। আপনার হাতে একটা সুইচ দিয়ে বলা হবে, কোনো অসুবিধা হলে এটাতে চাপ দেবেন। বেল বেজে উঠবে।

আমার একটা ফোবিয়া আছে। আমি বদ্ধ জায়গায় ঢুকলে খুব ভয় পাই। যেমন–লিফটে আমার দম বন্ধ হয়ে আসে। এমআরআই করানোর জন্য আমার মাথাটা ওই বদ্ধ চেম্বারে ঢোকানোর সঙ্গে সঙ্গে ভয়ে আমার কলজে শুকিয়ে এল। এমআরআই শুরু করার আগেই আমি বেলের সুইচে চাপ দিতে লাগলাম। ওঁরা

ছুটে এলেন। আমি বললাম, 'আমার কোনো অসুবিধা নাই। আমি দিব্যি সুস্থ আছি। আমার এমআরআই করা লাগবে না। যা টাকা বিল হয় আমি দিয়ে দেব।' ওঁরা অভয় দিলেন। একজন কর্মী আমার হাত ধরে বললেন, 'আমি আপনার হাত ধরে থাকি। আপনি চোখ বন্ধ করে শুয়ে থাকেন। মাত্র কুড়ি মিনিট।'

আমার জীবনের দীর্ঘতম ২০ মিনিট পার করলাম। ভিনি ভিডি ভিসি। আমি এলাম, শুয়ে থাকলাম, জয় করলাম। আমি এমআরআই করাতে সক্ষম হলাম।

রিপোর্ট পাওয়া গেল সঙ্গে সঙ্গেই। আমার মস্তিষ্ক চমৎকার আছে। কোনো সমস্যা নেই।

তাহলে?

আমি পড়া আরম্ভ করার পাঁচ মিনিট পর কেন আর পড়তে পারি না?

আমার এই সমস্যার সমাধান আমি নিজেই আবিষ্কার করে ফেলেছি। আমি খেয়াল করে দেখলাম, চশমা ছাড়া পড়তে পারি। চশমা দিয়ে পারি না। তখন আমি 'ইউরেকা ইউরেকা' বলে দৌড় ধরলাম। বাসার দ্বাররক্ষীরা জিজ্ঞেস করল, 'স্যার, কী হয়েছে?' আমি বললাম, 'আমি আমার রোগের কারণ ধরতে পেরেছি।'

'কী রোগ, স্যার?'

'আছে আছে।'

আমি ডাক্তারের কাছে গেলাম। বললাম, 'স্যার, আমার রোগের কারণ ধরতে পেরেছি।'

তিনি বললেন, 'কী রকম?'

'স্যার, আমার রোগের কারণ হলো গরম চা।'

'মানে কী? গরম চা খেলে আপনার মাথা বিকল হয়ে পড়ে?'

'জি না, স্যার। আমি ইয়া বড় মগে চা খাই। চা থাকে গরম। সকালবেলা চোখে চশমা দিয়ে চায়ের কাপে বার দুই চুমুক দিতেই চায়ের কাপ থেকে বাষ্প উঠে চশমার কাচ ঘোলা করে দেয়। এ কারণে আমি পাঁচ মিনিট পর আর পড়তে পারি না।'

আমার এই ঘটনা গল্প নয়, সত্যি।

তবে, একটা গল্প প্রচলিত আছে ইন্টারনেটে।

এক ভদ্রমহিলা তাঁর ঘরে বসে পাশের বাড়ির বারান্দার দিকে তাকান আর বলেন, 'ওরা যে কাপড়চোপড়গুলো রোদে শুকুতে দিয়েছে, সেসব তো পরিষ্কার হয়নি। ওদের উচিত ভালো সাবান ব্যবহার করা। তবে ওরা ভালো সাবান ব্যবহার করবে কী করে? ওদের তো দরজা-জানালা দেয়াল–সবই নোংরা।'

ভদ্রমহিলার স্বামী করলেন কি, তাদের ঘরের জানালার কাচটা বদলে একটা নতুন কাচ লাগিয়ে দিলেন।

আর পরের দিন ভদ্রমহিলা সেই ঘরে বসে স্বামীকে বললেন, 'বাহ্, ওরা তো দেখি, দেয়াল রং করেছে আর ওদের কাপড়চোপড়গুলোও আজ খুব পরিষ্কার হয়েছে।'

এই গল্প থেকে আমরা কী শিক্ষা লাভ করলাম?

আমাদের দৃষ্টিভঙ্গির ওপর বহু কিছু নির্ভর করে। একই জিনিস কেউ ঘোলা চশমা দিয়ে দেখতে পারেন, কেউ রঙিন চশমা দিয়ে দেখতে পারেন। কেউ বা পারেন পরিষ্কার সাদা চোখে দেখতে। একেকজনের চোখে জিনিসটা একেক রকম লাগবে। আকিরা কুরোসাওয়ার ছবি *রশোমন*-এ একই ঘটনা সাতজন বলে। সাত রকমের বর্ণনা পাওয়া যায়। ওই ছবিটায় পর পর সাতটা ঘটনা দেখানো হয়।

অমর্ত্য সেন বলেছিলেন, যে দেশে গণতন্ত্র ও সংবাদমাধ্যমের স্বাধীনতা আছে, সে দেশে দুর্ভিক্ষ হতে পারে না। তাঁর চিন্তাটা এ রকম, দেশের কোনো অঞ্চলে খাদ্যাভাব দেখা দিলে তা সংবাদপত্রে প্রকাশিত হবে, আর সরকারকে যেহেতু ভোট চাইতে জনগণের কাছে যেতে হবে, তাই তারা ওই খাদ্যাভাব মোকাবিলার জন্য তৎপর হবে, ফলে দুর্ভিক্ষ হবে না। তিনি সরল পণ্ডিত, তিনি জানেন না, পৃথিবীতে এমন গণতান্ত্রিক দেশ আছে, সেখানে যদি বলা হয়, অমুক অঞ্চলে খাদ্যাভাব দেখা দিয়েছে, তখন সরকার ব্যবস্থা নেয় বটে, তবে ব্যবস্থাটা হলো এই: তারা সংবাদ সম্মেলন ডেকে দাবি করে, সাংবাদিকতার নামে চলছে তথ্যসন্ত্রাস। উত্তরাঞ্চলে তো বটেই, দেশের কোথাও কোনো খাদ্যসংকট নেই। পত্রপত্রিকায় যা ছাপা হচ্ছে তা মিথ্যা, ভিত্তিহীন, উদ্দেশ্যপ্রণোদিত এবং সরকারের সাফল্যে ঈর্ষান্বিত একটা মহলের ষড়যন্ত্রের অংশমাত্র।

এমনকি পত্রপত্রিকায় যদি ক্ষমতাবানদের বা ক্ষমতাসীনদের প্রশংসা করে কোনো খবর বা কলাম ছাপা হয়, তখন তারা বলতে থাকবে, 'ছাপবে না? ওষুধের এমন ডোজ দিয়েছি, ওষুধে কাজ না হয়ে যায়-ই না!'

আসলে চশমাই যদি হয় ঘোলা, সংবাদপত্রের লেখা তো ঝাপসা দেখা যাবেই।

০৭-০৬-২০১১

সেধে কেন হরতাল ডেকে আনা?

'হরতাল পরিবেশবান্ধব। গাড়িঘোড়া নেই, ধুলাবালি নেই, শব্দ নেই। এ জন্য বিরোধীদলীয় নেতাকে অভিনন্দন'

(বিশ্ব পরিবেশ দিবসের অনুষ্ঠানে রসিকতার সুরে প্রধানমন্ত্রী শেখ হাসিনা)

সময়ের কাজ সময়ে করতে হয়। এই বিষয়ে নীতিগল্পের অভাব পৃথিবীতে কখনো ছিল না। নীতিবাক্যও আছে অফুরান। যেমন–যা তুমি আজ করতে পারো, তা কালকের জন্য ফেলে রেখো না। এই বাক্যটাকে আমরা সংশোধন করে নিয়েছি, যা তুমি কাল করতে পারো, বোকার মতো তা তুমি আজ করতে যাচ্ছ কেন?

পরের কাজ আগে করাও ঠিক না। পরের কাজ আগে করতে গিয়ে বিপদে পড়েছে এমন লোকের অভাবও তো গল্পকাহিনিতে কখনো ঘটেনি। কর্তা বললেন, বুদ্ধি খাটিয়ে কাজ করবে। তোমাকে বলেছি, আমরা এখানে রান্না করে খাব, যাও, চাল-ডাল কিনে আনো, তুমি শুধু চাল-ডালই কিনবে, এখানে চুলা বানাতে হবে, চুলার লাকড়ি কে আনবে, আর হাঁড়ি-পাতিলই বা কই পাব, সেসব কিনবে না, তেল-নুন-হলুদ-মরিচ কিনতে আরেকবার বাজারে যাবে, গাধা কোথাকার? এরপর বাড়ির কর্ত্রীর জ্বর। কর্তা বললেন, যাও, ডাক্তার ডেকে আনো। ভৃত্য ডাক্তার তো আনল আনলই; কাফনের কাপড়, লাশ বহনকারী খাটিয়া, গোসল করানোর লোক, মায় জানাজা পড়ানোর হুজুর নিয়ে হাজির হলো। কর্তার নির্দেশ, সব কাজ আগে-ভাগে বুদ্ধি খাটিয়ে করতে হবে।

শেখ হাসিনার নেতৃত্বে মহাজোট সরকারের কেবল দুই বছর পাঁচ মাস চলছে। হেসেখেলে তাঁর আরও দুই বছর সাত মাস ক্ষমতায় থাকার কথা। তারপর আসবে নির্বাচন। সেই নির্বাচন সুপ্রিম কোর্টের পরামর্শমতো তত্ত্বাবধায়ক সরকারের অধীনেও হতে পারে, আবার রাষ্ট্রের গণপ্রজাতন্ত্রী চরিত্র ধরে রাখার জন্য নির্বাচিত ব্যক্তিদের দিয়ে গঠিত সরকারের অধীনেও হতে পারে। কিন্তু এই মামলা তো এখনকার নয়। আরও দুই বছর পরের। দুই বছর পরেই এই প্রসঙ্গ আসতে পারত যে ছয় মাস পরে যে দেশে নির্বাচন হবে, সেটা কীভাবে করা

যাবে, এই সরকারের অধীনে, নাকি সংবিধানের আগের রীতি অনুসারে তত্ত্বাবধায়ক সরকারের অধীনে। তখন বিরোধী দল বলত, তত্ত্বাবধায়ক সরকার চাই। তখন প্রশ্ন আসত, তত্ত্বাবধায়ক সরকারপ্রধান কে হবেন, সর্বশেষ প্রধান বিচারপতি নাকি অন্য কেউ? এই নিয়ে বিরোধ যে দেখা দিত, তা অবশ্যম্ভাবী। কারণ, দেশে আছে দুটি জোট, একটা সরকারি জোট, আরেকটা বিরোধী জোট, বিরোধী জোটের কাজই বিরোধিতা করা। তারা বিরোধিতা করবেই।

কিন্তু সরকারি জোটও কম যায় না। তারা রাজনীতির ভেতরে সব সময়ই একটা জিলিপির প্যাঁচ খেলে দেন। আর তাই নিয়ে বিরোধী দল ব্যস্ত হয়ে পড়ে। অনেকটা কান নিয়েছে চিলের মতো। সেই যে গল্প আছে না, আমি কিছুই করি নাই, একটু গুড় লাগিয়ে দিয়েছি মাত্র। তাতে কী হয়েছে? গুড়ের লোভে পিঁপড়া এসেছে, পিঁপড়া মারতে তেলাপোকা এসেছে, তেলাপোকা মারতে বিড়াল এসেছে, বিড়াল মারতে কুকুর এসেছে, কুকুর মারতে বিড়ালের মালিক এসেছে, কুকুর রক্ষা করতে কুকুরের মালিক এসেছে, তারপর এ-পাড়ার সবাই এক পক্ষ, ও-পাড়ার সবাই আরেক পক্ষ, তা থেকে কুরুক্ষেত্র।

শেখ হাসিনা কিছুই বলেননি, তিনি আইনের শাসনে বিশ্বাসী, সংবিধানের মহান রক্ষক সুপ্রিম কোর্টের আদেশ মানতে তিনি বাধ্য, সে কথাটাই মনে করিয়ে দিয়েছেন, আর তাতেই লেগে গেছে লঙ্কাকাণ্ড। বিরোধী দল হরতাল আহ্বান করেছে।

বিরোধী দল হরতাল আহ্বান করেছে, তাতে বাস পুড়েছে গোটা দশেক, ককটেল ফুটেছে কয়েক ডজন, একজন রিকশাচালক ককটেলের বারুদে পুড়ে কাতরাচ্ছেন হাসপাতালে, আর কাতরাচ্ছে আমাদের মুমূর্ষু অর্থনীতি, মুদ্রাস্ফীতির চাপে যার জিভ বের হয়ে আসার জোগাড় হয়েছে।

এখানেই প্রশ্ন উঠেছে, শেখ হাসিনা কেন দুই বছর পরের হরতালটাকে দুই বছর আগে সেধে ডেকে আনলেন? ৬ জুন ২০১১ প্রকাশিত *নিউ এজ*-এর একটা খবর থেকে এই প্রশ্নের একটা উত্তর পাওয়া গেল। ঢাকার বাতাস পৃথিবীর সব বড় শহরের মধ্যে সবচেয়ে বেশি বিষাক্ত। এর ফলে প্রতিবছর ১০ হাজার মানুষ এই শহরে অকালে প্রাণ হারাবে। ২০১১ সালের জানুয়ারি ১৩ থেকে ফেব্রুয়ারি ১৫ পর্যন্ত এই এক মাসের জরিপের ফলে দেখা যাচ্ছে, এই শহরের বাতাসে সালফার ডাই-অক্সাইড আর নাইট্রোজেন অক্সাইডের পরিমাণ বিশ্ব স্বাস্থ্য সংস্থার অনুমোদিত পরিমাণের চেয়ে ঢের ঢের বেশি। এই খবরের উৎস হলো সরকারের পরিবেশ মন্ত্রণালয়।

এখন আমাদের কাছে ব্যাপারটা পরিষ্কার। গত পরশু ছিল বিশ্ব পরিবেশ দিবস। বিশ্ব পরিবেশ দিবসে ঢাকার বাতাসে যাতে ক্ষতিকর গ্যাস না থাকে, সে জন্য দরকার ছিল যানবাহন, কলকারখানা, অফিস-আদালত বন্ধ রাখা। তাই

প্রধানমন্ত্রী শেখ হাসিনা বললেন, আমরা তো আদালতের সিদ্ধান্তের বাইরে যেতে পারব না। তিনি জানতেন, এই কথা বললেই বিরোধী দল হরতাল ডেকে বসবে। তা-ই হলো। বিরোধী দল হরতাল ডাকল। ঢাকার রাস্তাঘাট বেশ ফাঁকা ছিল হরতালের দিন। ওই দিনই ছিল পরিবেশ দিবস। পরিবেশ দিবসে ঢাকার পরিবেশ ছিল অনাবিল সুন্দর।

মাননীয় প্রধানমন্ত্রী সমীপে আমাদের আকুল আবেদন, আপনি এই রকমের বাণী আরও দিন। বিরোধী দলের প্রতি আহ্বান, প্রধানমন্ত্রীর বাণী উচ্চারিত হওয়ার সঙ্গে সঙ্গে আপনারা হরতাল আহ্বান করুন। পরিবেশ বাঁচান। প্রতিবছর ১০ হাজার মানুষের অকালমৃত্যু কেবল হরতাল ডেকেই রোধ করা যায়।

শুধু দেখলাম, ফেসবুকে একজন নাগরিক দুঃখ প্রকাশ করেছেন, সরকারি দল কী চায় আমরা শুনছি, বিরোধী দল কী চায়, কী চায় না, তা-ও আমাদের জানা। কেবল, আমরা দেশের মানুষ, দেশের মালিক যারা, তারা কী চাই, কেউ শুনতে চাইল না!

দেশের মালিক আপনারা? আমজনতা? ধৃষ্টতা বৈকি! দেশের একজন নগণ্য নাগরিক নিজেকে দেশের মালিক বলে দাবি করেছে, এর প্রতিবাদে বিরোধী দল কি একটা হরতাল ডেকে বসতে পারে না? কিংবা তাকে ক্রসফায়ারে নেওয়া যায় না? সাহস কত! এই ধরনের বিষবৃক্ষ অঙ্কুরেই কি বিনষ্ট করে দেওয়া উচিত নয়?

ঘোষণা

অনিবার্য কারণে আজ টেলিফোনে নাগরিক মন্তব্যের বাকি অংশ প্রকাশ করা গেল না বলে আমরা দুঃখিত। বাকি অংশ আগামীকাল ছাপা হবে।—বি. স.

২১-০৬-২০১১

আপনি কি সফল হতে চান?

আপনি কি ছাপোষা জীবন যাপন করছেন? জীবনটা হোস্টেলের ডালের মতো পানসে লাগছে? কোনো চার্ম নেই। আজ সিঙ্গাপুর তো কাল কুয়ালালামপুর করতে পারছেন না। আজিমপুর টু মিরপুর করেই দিন কাটছে। দুপুরবেলা রুটি-ভাজি গিলতে কষ্ট হচ্ছে! বিকেলের বিলাসিতা মোড়ের দোকানের ডালপুরি? ওয়েস্টিনে ব্রেকফাস্ট তো সোনারগাঁওয়ে ডিনার হচ্ছে না? লাস ভেগাসে গিয়ে হাজার হাজার ডলার ওড়ানোর মুরোদ নেই? কিন্তু স্বপ্ন আছে? হাজার কোটি টাকার মালিক হতে চান? কিন্তু ব্যাংকে কোনো অ্যাকাউন্টই নেই?

আপনাকেই আমরা খুঁজছি। বছর ঘোরার আগেই এক শ কোটি টাকা। দুই বছরের মাথায় হাজার কোটি টাকার মালিক হতে পারবেন আপনি। বউয়ের গয়না বিক্রি করুন। কিছু টাকা নিয়ে আসুন। ঢাকায় একটা বাড়ি ভাড়া করতে হবে। লাখ দুয়েক টাকা তো বিনিয়োগ করতেই হবে। একেবারে কিছুই খাটাবেন না, তা কী করে হয়। মাথাটা তো খাটাতেই হবে, কিছু টাকাও। লাখ কয়েক টাকা বন্ধুর কাছ থেকে ধার নিন, এক মাসের মাথায় শোধ করে দিতে পারবেন। একটা অফিস নিয়েছেন? এবার একটা কাগজ নিন। এটাতে মানচিত্র আঁকুন। ইচ্ছেমতো আঁকুন। নাম দিন 'পূর্বাচল চাঁদের দেশ প্রকল্প'। মানচিত্রটা কিসের? চারকোনা করে কতগুলো ঘর আঁকুন। সেক্টর এক। রাস্তা এক। তার দুধারে প্লট। তারপর রাস্তা দুই। তার দুধারে প্লট। তিন কাঠা। পাঁচ কাঠা। ইচ্ছেমতো আঁকুন। লেক আঁকুন। লেকভিউ প্লট। ১০ কাঠা। এক হাজারটা প্লট আঁকুন। দুই হাজার প্লট আঁকুন। এবার পত্রিকায় বিজ্ঞাপন দিন। বর্ষা উপলক্ষে কদমবাহার ছাড়। কাঠাপ্রতি তিন লাখ টাকা ছাড়। বুকিং দিলেই রঙিন টেলিভিশন। এক লাখ টাকা বুকিং। তারপর মাসে মাসে কাঠাপ্রতি কুড়ি হাজার টাকা কিস্তি। পাঁচ বছর ধরে দেওয়া যাবে। হইহই কাণ্ড রইরই ব্যাপার।

এরপর ঢাকার বাইরে কোনো একটা ধানখেতের চাষির কাছ থেকে ধানখেতে সাইনবোর্ড লাগানোর অনুমতিটা কিনে নিন। চাষি মাসে মাসে এক হাজার টাকা করে পাবেন। এই হলো আপনার সাইট। তাতে সাইনবোর্ড লাগান

'পূর্বাচল চাঁদের দেশ প্রকল্প' । বাইশ শতকের আবাসভূমি । জমি বিক্রি শুরু হয়ে গেল । টাকা আসতে শুরু করেছে? ১০০ জন বুকিং দিয়েছেন? ব্যস, পকেটে এক কোটি টাকা এসেছে । সামনের মাসে আবার এক কোটি টাকা আসবে । এবার বিজ্ঞাপনের মহড়া বাড়িয়ে দিন । প্রকল্প এলাকায় পাঁচ লাখ টাকা দিয়ে এক বিঘা জমি কিনেও ফেলুন । ব্যস, আর কিছু না । দাগ দেওয়া প্লট বিক্রি করতে থাকুন । টাকা আর টাকা । টাকা মানে সম্মান । টাকা মানে নিরাপত্তা । এক হাজার প্লট বিক্রি হয়েছে? ৫০০ কোটি টাকা আপনার পকেটে । এবার আপনি কিছু প্লট ক্রেতাকে বুঝিয়ে দিন । হ্যাঁ, বিভিন্ন ঘাটে কিছু টাকাপয়সা তো আপনাকে খরচ করতেই হবে । ক্রেতারা যদি দল বেঁধে ঘেরাও করতে আসে? আসবে না । কত প্লটই তো বিক্রি হয়েছে । কত ক্রেতা বুঝে পেয়েছে । কিন্তু তার চেয়েও কত বেশিসংখ্যক ক্রেতা বুঝে পায়নি । তাই বলে কি প্লটের ব্যবসা থেমে আছে? সব কোম্পানি মিলে যত প্লট বিক্রি করেছে, তার মোট জমির পরিমাণ ৫৫ হাজার ১২৬ বর্গমাইলের বেশি না কম, এটা একটা প্রশ্ন বটে । তবে আমাদের প্রকল্পের নাম যেহেতু 'পূর্বাচল চাঁদের দেশ প্রকল্প', সেহেতু আমাদের সেই দুর্ভাবনা না করলেও চলবে । দেশে জমি না পেলে আমরা চাঁদের জমি বিক্রি করব ।

এ ব্যবসায় কোনো লস নেই । আপনার হাতে যখন টাকা আসবে, তখন আইনের হাত আপনার কাছে লম্বা মনে হবে না । টাকা আপনাকে সব দেবে । দেবে মান-সম্মান-নিরাপত্তা । দেবে প্রভাব-প্রতিপত্তি । আপনি তখন ধরাকে সরা জ্ঞান করে সরার দই খাবেন । পৃথিবীটা কার বশ? অবশ্যই টাকার । পত্রিকা-টেলিভিশনে আপনার বিজ্ঞাপন বেরুচ্ছে, কেউ আপনার বিরুদ্ধে টুঁ-শব্দ করবে না । নেতাদের আপনি চাঁদা দেবেন । তাঁরা আপনার প্রকল্পের নকশার উদ্বোধনী অনুষ্ঠানে এসে ফিতা কাটবেন । আমার মতো কবি-সাহিত্যিকেরা আপনার মতো দেশসেবক-জনসেবক উদ্যোক্তাদের কীর্তি বন্দনা করে কবিতা লিখবে । কলাম লিখবে । আমরা বলব, আপনি কর্মসংস্থান করেছেন । আপনি এ দেশের বাসস্থান সমস্যার সমাধানে যে অবদান রাখছেন, তার কোনো তুলনা নেই । আপনি চাইলে আপনার নামে পদক প্রবর্তন করতে পারেন–'আক্কেল আলী অনন্য বুদ্ধিজীবী পদক' । বছরে একবার বড় অনুষ্ঠান করে সেই পদক তুলে দিতে পারেন দেশের সবচেয়ে অগ্রগণ্য কোনো বুদ্ধিজীবীর হাতে । সবাই ধন্য ধন্য করবে ।

আপনি এখন অনেক বড়লোক । আমার ধরাছোঁয়ার বাইরে । আমি আপনাকে পরামর্শ দিতেও এখন ভয় পাচ্ছি । আমার এই লেখার মাধ্যমে আমি যে বেয়াদবি করেছি, আপনি আশা করি তা নিজ গুণে ক্ষমা করে দেবেন । সাফল্য এখন আপনার করতলে । আপনি সুখী হোন ।

০৫-০৭-২০১১

ভালোবাসার প্রতিযোগিতা

ছেলেটি স্কুলে গিয়ে নতুন শিখেছে, প্রতিটা কাজই মূল্যবান। কোনো কাজই ফেলনা নয়। সব কাজেরই একটা অর্থমূল্য আছে। এ ছাড়া কীভাবে বিল করতে হয়, তা-ও তাকে শেখানো হয়েছে। একদিন সন্ধ্যায় মা রান্নাঘরে কাজ করছেন। ছেলেটি তাঁর কাছে গিয়ে একটা বিল জমা দিল। মায়ের হাত ভেজা। তিনি কাগজটা রেখে দিলেন একটু পরে পড়বেন বলে। কাজ শেষে তিনি ছেলের দেওয়া চিরকুটটা হাতে নিলেন। ছেলে লিখেছে:

গাছে পানি দেওয়া: ১০ টাকা।

দোকান থেকে এটা-ওটা কিনে দেওয়া (তিনবার): ১৫ টাকা

ছোট ভাইকে কোলে রাখা: ৪০ টাকা

ডাস্টবিনে ময়লা ফেলতে যাওয়া: ২১ টাকা

পরীক্ষায় ভালো রেজাল্ট করা: ৫০ টাকা

মশারি টানানো: পাঁচ টাকা

মোট: ১৪১ টাকা মাত্র

মা বিলটা পড়লেন। মুচকি হাসলেন। তারপর তাঁর আট বছরের ছেলের মুখের দিকে খানিকক্ষণ তাকিয়ে রইলেন। তাঁর চোখে জল চলে আসছে। তিনি এক টুকরো কাগজ হাতে নিলেন। তারপর তিনি লিখতে লাগলেন:

তোমাকে ১০ মাস পেটে ধারণ করা:

বিনা পয়সায়

তোমাকে দুগ্ধপান করানো:

বিনা পয়সায়

তোমার জন্য রাতের পর রাত জেগে থাকা:

বিনা পয়সায়

তোমার অসুখ-বিসুখে তোমার জন্য প্রার্থনা করা, শুশ্রূষা করা, ডাক্তারের কাছে ছুটে যাওয়া, তোমার জন্য চোখের জল ফেলা:

বিনা পয়সায়

তোমাকে গোসল করানো, পরিষ্কার করা:
বিনা পয়সায়
তোমাকে গল্প শোনানো, গান শোনানো, ছড়া শোনানো:
বিনা পয়সায়
তোমার জন্য খেলনা, কাপড়চোপড়, প্রসাধনী কেনা:
বিনা পয়সায়
তোমার কাঁথা ধোওয়া, শুকানো, বদলে দেওয়া:
বিনা পয়সায়
তোমাকে লেখাপড়া শেখানো:
বিনা পয়সায়
এবং তোমাকে আমার নিজের চেয়েও বেশি ভালোবাসা:
বিনা পয়সায়

ছেলের হাতে মা কাগজটা তুলে দিলেন। ছেলে পড়তে লাগল মায়ের বিল। পড়তে পড়তে তার চোখ জলে ভরে উঠল। সে তখন তার নিজের লেখা চিরকুটটা হাতে তুলে নিয়ে লিখল:

পুরো বিল পরিশোধিত।

ভালোবাসার প্রতিযোগিতা হয় না। কে বেশি ভালোবাসে, আমি না তুমি, এভাবে কথা বলা যায় না। তবে একটাই প্রতিযোগিতা করা যায়। তা হলো, দেবার বেলায় এগিয়ে থাকা। যে দেয়, সে দেওতা, মানে দেবতা। আর যে নেয়, সে কী? সে কি নেতা?

নেতা তিনিই, যিনি দেবেন। নেতার কাজই তো দেওয়া। নেতারা ভালো কাজ করবেন, এটাই তো স্বাভাবিক। আর যা স্বাভাবিক, তা খবর নয়। যা অস্বাভাবিক তা-ই খবর। ছয়টার উড়োজাহাজ ছয়টায় ছেড়ে দিয়ে ঠিক সময়ে ঠিক বন্দরে পৌঁছালে সেটা খবর হয় না। ওই প্লেন ভেঙে পড়লেই সেটা খবর। সেই খবর পত্রিকায় না ছাপানো হলেই পাঠকেরা চিৎকার করে উঠবেন, এত বড় নিউজ ছাপা হলো না কেন? বিমান ঠিক সময়ে পৌঁছালে সে খবর না ছাপালে পাঠক আপত্তি করবে না। কিন্তু আমাদের দেশে সবকিছুই উল্টোপাল্টা। এখানে ভালো করাটাই যেহেতু ব্যতিক্রম, তাই ভালো কাজও এখানে খবর।

তবে হ্যাঁ, ভালো কাজকে উৎসাহিত করতে পারতে হবে। এক লোক সবকিছুরই নিন্দা করে। তাকে তার বন্ধু দাওয়াত করে খাওয়াল। খাওয়াদাওয়ার আয়োজন ছিল ব্যাপক, রান্নাও হয়েছে ভালো। পেটপুরে খেয়ে সে বলল, ভালোই হয়েছে, তবে লবণটা একটু কম। এর পরের বার লবণও ঠিকভাবে দেওয়া হলো। এবার আর আয়োজনে কোনো গলদ নেই। এবার মেহমান কী বলবেন? তিনি বললেন, খুব ভালো হয়েছে, তবে এত ভালো ভালো না।

আমরা এই রকম সমালোচনা নিশ্চয়ই চাই না। ভালো কাজের প্রশংসা নিশ্চয়ই করতে হবে। প্রশংসা মানুষকে ভালো কাজে উৎসাহিত করে। এ জন্য সমাজে ভালো কাজের স্বীকৃতি ও পুরস্কার থাকতে হয়। আবদুল্লাহ আবু সায়ীদ তাঁর ছোটবেলার স্মৃতিতে লিখেছেন, ছোটবেলায় তিনি উল্টো হাঁটা প্রতিযোগিতায় তৃতীয় হয়ে একটা চা-চামচ পুরস্কার পেয়েছিলেন। সেই চামচ নিয়ে তিনি সারাক্ষণ গর্বভরে ঘুরে বেড়াতেন। বাড়িতে মেহমান এলে বৈঠকখানায় তিনি চামচটা নিয়ে হাজির হতেন। চামচটা নাড়তেন, যাতে মেহমানেরা জিজ্ঞেস করে, 'ও খোকা, তুমি চামচ নাড়ো কেন?' তাহলে তো তিনি বলতে পারবেন, 'এটা আমি পুরস্কার হিসেবে পেয়েছি।'

শাসকদের ভালো কাজের প্রশংসা তাই অকুণ্ঠভাবেই করা দরকার। কিন্তু মনে রাখতে হবে, ভালো কাজ করবেন বলেই তাঁরা ওই পদে আসীন হয়েছেন। সেই কাজে ভুল হলে তাঁরা যত সমালোচিত হবেন, ভুল না করলে ততটা প্রশংসিত হবেন না।

আর গণতন্ত্রে সবাই সমান। রাজার ছেলেরও এক ভোট, ভিখিরির ছেলেরও এক ভোট। কিন্তু, 'এ জগতে হায় সেই বেশি চায় আছে যার ভূরি ভূরি, রাজার হস্ত করে সমস্ত কাঙালের ধন চুরি।' রাজার ছেলে কাঙালের ধন চুরি করলে তাকে নিবৃত্ত করবে কে? স্বাধীন বিচার বিভাগ, আইনের শাসন আর স্বাধীন সংবাদমাধ্যম। গণতন্ত্র যাতে দুর্বিষহ নিপীড়নতন্ত্রে পরিণত না হয়, তা দেখার দায়িত্ব সংবাদমাধ্যমেরই। সে জন্যই কবি বলেন, 'নিন্দুকেরে বাসি আমি সবার চেয়ে ভালো।'

এ লেখা শুরু করেছিলাম মায়ের সঙ্গে সন্তানের ভালো কাজের প্রতিযোগিতা দিয়ে। মায়ের কাছে আমাদের যে ঋণ, তা কি শোধাবার মতোন? রবীন্দ্রনাথের এই গান কি আমাদের চোখ ভিজিয়ে দেয় না, 'অনেক তোমার খেয়েছি গো, অনেক নিয়েছি মা–/ তবু জানি নে-যে কী বা তোমায় দিয়েছি মা!/ আমার জনম গেল বৃথা কাজে,/ আমি কাটানু দিন ঘরের মাঝে–'

আমাদের জনম আসলে বৃথা কাজেই যাচ্ছে। আমরা আসলে আমাদের দেশমাতাকে কিছুই দিইনি। জানি না কীভাবে দেশমাতার ঋণ আমরা শোধ করতে পারব। সত্যিই জানি না।

২৯-০৩-২০১১

প্রিয় পাঠক, একটু হাসুন

একজন অন্ধ বালক। নিউইয়র্কের একটা রাস্তার ধারে একটা সুন্দর ভবনের বাইরের সিঁড়িতে রোদের মধ্যে বসে আছে। তার হাতে তার হ্যাটটা উল্টো করে ধরা। তার আরেক হাতে একটা শক্ত কাগজের টুকরায় লেখা, 'আমি অন্ধ, আমাকে সাহায্য করুন, প্লিজ।' তার টুপিতে অল্প কয়টা পয়সা পড়েছে। লোকজন আসছে, যাচ্ছে। বেশির ভাগই তাকে সাহায্য না করেই পাশ কাটিয়ে চলে যাচ্ছে। একজন লোক কিন্তু ছেলেটার পাশে দাঁড়ালেন। তিনি পকেট থেকে খুচরা পয়সা বের করে ছেলেটার টুপিতে রাখলেন। দেখলেন, ছেলেটা খুব কম পয়সাই এ পর্যন্ত অর্জন করতে পেরেছে। তিনি ছেলেটার হাতের কার্ডটার দিকে তাকালেন। দেখলেন লেখা, 'আমি অন্ধ, আমাকে সাহায্য করুন, প্লিজ।' তিনি তখন ওই কাগজটা ছেলেটার হাত থেকে নিলেন। কাগজের উল্টো পিঠে তিনি নতুন দুটো বাক্য লিখলেন। তারপর ছেলেটার হাতে সেই কাগজটা ধরিয়ে দিয়ে তিনি চলে গেলেন। দৃষ্টিপ্রতিবন্ধী ছেলেটা লক্ষ করল, এরপর দ্রুত তার টুপিতে টাকা-পয়সা পড়ছে। খুব শিগগির ছেলেটার টুপি ভরে গেল। বিকেলবেলা। অন্ধ ছেলেটা টের পেল, সেই লোকটার পায়ের শব্দ পাওয়া যাচ্ছে, যে কিনা তার সাইনবোর্ডটার কথা বদলে দিয়েছিল। সেই ভদ্রলোকও তার ওই কীর্তির ফলটা কী দাঁড়াল, তা দেখতে এসেছেন। এসে দেখলেন, হ্যাঁ, তার নতুন বাণীতে কাজ হয়েছে। ছেলেটার টুপি টাকায় গেছে ভরে। অন্ধ ছেলেটা বলল, 'আপনি কি সেই ভদ্রলোক, যিনি আমার হাতের কার্ডের লেখা বদলে দিয়েছিলেন?'

'হ্যাঁ। আমি সেই লোক।'

'আচ্ছা, আপনি কী করলেন যে আমার টুপি ভরে উঠল?'

'আমি কিছুই করিনি। শুধু সত্যটা প্রকাশ করেছি।'

'মানে কী?'

'মানে কিছুই না। তোমার কার্ডে যা লেখা ছিল, সেটাই আমি একটু অন্যভাবে প্রকাশ করেছিলাম। আমি লিখেছিলাম, 'আজকের দিনটা খুব সুন্দর। কিন্তু আমি তা দেখতে পাচ্ছি না।'

'তাতেই এত পয়সা এল?' দৃষ্টিপ্রতিবন্ধী ছেলেটা বিস্মিত!

'হ্যাঁ। তোমার কথাটা ছিল, তুমি অন্ধ। আমিও তা-ই লিখেছি। কিন্তু অন্য রকম করে। আমি লিখেছি যে আজকের দিনটা সুন্দর, কিন্তু তুমি তা দেখতে পাচ্ছ না। এতে নতুন কী যুক্ত হলো? এক. আমরা ব্যাপারটা শুরু করলাম ইতিবাচকভাবে। আজকের দিনটা সুন্দর, এই সুন্দর কথাটা অন্যের সঙ্গে শেয়ার করছি, যাঁরা জানছেন, তাঁদেরও মন ভালো হয়ে যাচ্ছে। তারপরের কথাটা তোমারই কথা যে তুমি দৃষ্টিপ্রতিবন্ধী। তুমি এটা দেখতে পাচ্ছ না। তাতে যাঁরা এটা পড়ছেন, তাঁরা বুঝতে পারলেন, তাঁরা কত সৌভাগ্যবান। আমাদের প্রত্যেকেরই নিশ্চয়ই এক শ কারণ আছে মন ভার করে থাকার। কিন্তু ভেবে দেখো, এক হাজারটা কারণ আমাদের প্রত্যেকের আছে, মনটা ভালো রাখার। আমরা প্রত্যেকেই কত সৌভাগ্যবান। শোনো, অতীতের দিকে তাকাবে, কোনো দুঃখবোধ ছাড়াই। বর্তমানকে গ্রহণ করবে সাহসিকতার সঙ্গে। ভবিষ্যতের জন্য প্রস্তুত হবে আত্মবিশ্বাস নিয়ে।'

ইন্টারনেটের এই গল্পটার শেষে বলা হচ্ছে, পৃথিবীর সবচেয়ে সুন্দর দৃশ্য হলো, কাউকে হাসতে দেখা। তার চেয়েও ভালো লাগবে, যদি আমি জানতে পারি, আমার কারণেই একজনের মুখে হাসি ফুটে উঠেছে।

আসলেই তো, অন্যের মুখে হাসি ফোটাতে পারার চেয়ে সুখকর কাজ আর কী আছে! আমাদের চারপাশের বাস্তবতাকে আমরা নেতিবাচক দৃষ্টিতে দেখতে পারি, আবার ইতিবাচক দৃষ্টিতেও দেখতে পারি। ইতিবাচকভাবে দেখাই ভালো।

তবে, বাংলাদেশের জাতীয় জীবনে ও রাজনীতিতে যা ঘটছে, তার মধ্যে থেকে ইতিবাচক উপাদান বের করে মুখটাকে হাসি হাসি করে রাখা সত্যি কঠিন। জাতীয় সংসদে মাননীয় সংসদ সদস্যরা যে ভাষায় পরস্পরকে আক্রমণ করছেন, তা নিয়ে স্বয়ং স্পিকার চিন্তিত। সংসদের বাইরেও পরস্পরবিরোধী নেতারা যে ভাষায় পরস্পরকে আক্রমণ করে চলেছেন, তাতে নিজের কানকেও বিশ্বাস করতে কষ্ট হয়।

'অতিরিক্ত কথা এবং কাজ বিপদ ডাকিয়া আনে'–রংপুর জিলা স্কুলে আজহার স্যার কোনো ছাত্রকে দুষ্টুমি বা বকাবাজি করতে দেখলে দুই হাত দিয়ে একই সঙ্গে তার দুই গালে দুটো চড় বসিয়ে দিয়ে এই উপদেশ দান করতেন। তাঁর এই উপদেশ ভোলা আমাদের পক্ষে অসম্ভব। আজহার স্যার বলতেন, নীরবতা হীরণ্ময়। আমাদের মুখ একটা, কান দুটো, আমাদের কথা বলা উচিত কম, শোনা উচিত বেশি বেশি। অন্যকে ছোট করে নিজেকে বড় করা যায় না। অন্যকে বড় করতে পারলে, বড়কে সম্মান করতে পারলে, প্রতিপক্ষের প্রতি সম্মানশীল হতে পারলে নিজেরই সম্মান বাড়ে। কাকের কর্কশ স্বর বিষ লাগে কানে, কোকিল অখিল প্রিয় সুমধুর গানে।

বলছিলাম, মানুষের মুখে হাসি ফোটানো হলো মহত্তম কর্ম। আমার উচিত এখন একটা কৌতুক বলে আপনার মুখে হাসি ফোটানোর চেষ্টা করা। চড় নিয়েই বলি। দুজন লোক রাস্তা খুঁড়ছে আর তাদের সর্দার গাছের নিচে বসে আছে।

একজন পথিক শ্রমিক দুজনকে বলল, 'তোমরা কষ্ট করে কাজ করছ, আর ও গাছের নিচে আরাম করছে, কারণ কী।'

একজন শ্রমিক বলল, 'জানি না। আচ্ছা, সরদারকে জিজ্ঞেস করে আসি।' সে সরদারের কাছে গিয়ে বলল, 'সরদার, আমরা কাজ করছি আর আপনি বসে আছেন। কারণ কী।' সরদার বলল, 'কারণ বুদ্ধি। আমার বুদ্ধি আছে, তোমাদের নাই।'

'কী রকম?'

'আচ্ছা, আমি এই গাছে হাত রাখছি। তুমি গায়ের জোরে আমার হাতে চড় মারো।' শ্রমিকটি চড় মারার আগেই সরদার হাত সরিয়ে নিল। ব্যথাক্লিষ্ট শ্রমিক ফিরে গিয়ে পথিককে বলল, 'সরদার আরাম করছেন, কারণটা হলো বুদ্ধি।'

পথিক বিস্মিত। 'কী রকম?'

শ্রমিকটি বলল, 'আমি আমার মুখে হাত রাখছি। আপনি এখন গায়ের জোরে আমার হাতে একটা চড় বসান।'

আমরা প্রতিপক্ষকে ঘায়েল করার জন্য পাথরের ওপরে হাত রেখে বলতে পারি, গায়ের জোরে চড় মারো। কিন্তু মাথায় যথেষ্ট বুদ্ধি না থাকলে কিন্তু আমরা নিজেদের নাকে হাত রেখে বলে ফেলতে পারি, গায়ের জোরে ঘুষি মারেন।

শাসকদের বুদ্ধিমান হতে হয়। প্রেসিডেন্ট বুশ যখন ব্রিটেনে যান, তখন রানিকে জিজ্ঞেস করেন, 'আপনারা দেশ চালান কীভাবে?' রানি উত্তর দেন, 'বুদ্ধি দিয়ে।' 'কী রকম?' রানি টনি ব্লেয়ারকে ডেকে বলেন, 'আচ্ছা টনি, বলো তো, একটা লোক, সে তোমার মায়ের ছেলে, সে তোমার বাবার ছেলে, তোমার আর কোনো ভাইবোন নাই, লোকটা কে?' টনি উত্তর দেন, 'আমি।' রানি বলেন, 'দেখলা বুশ, টনির কী রকম বুদ্ধি। ও বুদ্ধি দিয়েই দেশ চালায়।'

বুশ দেশে ফিরে গিয়ে মন্ত্রীদের ডেকে বলেন, 'বলো, একটা লোক, সে তোমার মায়ের ছেলে, সে তোমার বাবার ছেলে, তোমার আর কোনো ভাইবোন নাই, লোকটা কে?' কেউ উত্তর দিতে পারেন না। তখন কলিন পাওয়েল সেখানে আসেন। বুশ তাঁকে একই প্রশ্ন করেন। 'একটা লোক, সে তোমার মায়ের ছেলে, সে তোমার বাবার ছেলে, তোমার আর কোনো ভাইবোন নাই, লোকটা কে?' কলিন পাওয়েল বলেন, 'আমি'।

বুশ বলেন, 'হয় নাই। সঠিক উত্তর হবে, টনি ব্লেয়ার।'

শাসকদের মাথায় বুদ্ধি থাকতে হয়! আর, বুদ্ধিমানেরা কথা বলেন কম!

প্রিয় পাঠক, একটু হাসুন। আজ একটা সুন্দর দিন। আর আমাদের দেশেও বহু কিছু আছে ইতিবাচক, যেসবের কথা ভেবে আমরা একটা দিন সুন্দরভাবে শুরু করতে পারি। যেমন ধরুন, আমরা বিশ্বকাপ ক্রিকেটের আটটা খেলা আর উদ্বোধনী অনুষ্ঠান নির্বিঘ্নে সম্পন্ন করতে পেরেছি। এই আয়োজন দেশে-বিদেশে প্রশংসিত হয়েছে। সেটাই বা কম কী!

১২-০৪-২০১১

ব্যাটিং কোচ বোলিং কোচের মতো 'টকিং' কোচ চাই

ওয়েস্ট ইন্ডিজের মাঠে বাংলাদেশ হোয়াইটওয়াশ করেছিল ওয়েস্ট ইন্ডিজকে। ওই সময় ওখানকার কাগজে প্রচ্ছদকাহিনি করা হয়েছিল সাকিব আল হাসানকে নিয়ে, তার শিরোনাম ছিল আইস-ম্যান। বরফমানুষ। সাকিব সহজেই মাথা গরম করেন না বলে তাঁর খ্যাতি ছিল। তাঁর যে জিনিসটা আমার সবচেয়ে ভালো লাগে, তা হলো তাঁর মুখের হাসি। খুব দুঃসময়ে ব্যাট করতে নেমেও তাঁর মুখের হাসিটা তিনি ধরে রাখতে পারেন।

সাকিব আল হাসান সদ্য সমাপ্ত বিশ্বকাপের সময় নানা বিতর্কের জন্ম দিয়েছেন। ওয়েস্ট ইন্ডিজের সঙ্গে ৫৮-বিপর্যয়ের পর যখন সাবেক ক্রিকেটাররা টেলিভিশন টক শোতে বলতে লাগলেন, টিমের কোনো গেম-প্ল্যান ছিল না, তখন এই বরফমানুষটা মাথা ঠান্ডা রাখতে পারলেন না; বলে ফেললেন, সাবেক ক্রিকেটাররা যাঁরা এসব বলছেন, তাঁরা কে কী করেছেন আমরা জানি, রেকর্ড বইয়ে সব লেখা আছে, তাঁরা এত কথা বলেন কেন? এই উক্তি যেন খড়ের গাদায় দেশলাইয়ের কাঠি ছুঁড়ে ফেলল। দাউদাউ করে আগুন জ্বলে উঠল। দর্শকদের দুয়োধ্বনির জবাবে তিনি যে সাংকেতিক ভাষা ব্যবহার করেছেন, সেটা নিয়ে পত্রপত্রিকায় ও ইন্টারনেটে নিন্দার ঝড় বয়ে গেল। আর অস্ট্রেলিয়ার বিরুদ্ধে চলতি ওয়ানডে সিরিজের প্রথম ম্যাচের পর সংবাদ সম্মেলনে সাংবাদিকদের প্রশ্নবাণের জবাবে তিনি যে অসহিষ্ণু হয়ে পড়েছিলেন, তাও স্পষ্ট। গত পরশুর প্রায় সব কাগজেই তাঁর এই পারফরম্যান্সের সমালোচনা করা হয়েছে। দু-একটা কাগজে বলা হয়েছে, কেবল প্রতিপক্ষের আগুনে ফাস্ট বল খেলতে শিখলে চলবে না, তাঁকে শিখতে হবে সংবাদ সম্মেলনে প্রশ্নের বল কীভাবে মোকাবিলা করতে হয়!

কথাটা কিন্তু কেবল কথার কথা নয়, এটা একটা গুরুতর বিষয়। সাকিব আল হাসান কেবল একজন ২৪ বছরের যেকোনো তরুণ নন, তিনি বাংলাদেশ ক্রিকেট দলের অধিনায়ক। তিনি কেবল তাঁর নিজেকে প্রতিনিধিত্ব করেন না, তিনি বাংলাদেশকেই প্রতিনিধিত্ব করেন, তিনি আমাদের রাষ্ট্রদূত। তাঁর প্রতিটি কথা, প্রতিটি আচরণ, প্রতিটি পদক্ষেপ হতে হবে মাপা; কারণ, তাঁর মুখ দিয়েই

কথা কয়ে উঠছে বাংলাদেশ। তার ওপর তিনি এ দেশের কোটি তরুণের আইডলও। তাঁকে দেখেই শিখবে দেশের শিশু-কিশোর-তরুণেরা। কাজেই তিনি যে কেবল ভালো ব্যাট করবেন, ভালো বল করবেন, ভালো ফিল্ডিং করবেন, মাঠের খেলায় ভালো অধিনায়কত্ব করবেন, তা-ই প্রত্যাশিত নয়; তিনি চলায়-বলায়-আচারে-ব্যবহারে–সবদিক দিয়েই একজন আইডলের মতো আচরণ করবেন, এটা আমাদের প্রত্যাশিত।

বাংলাদেশ ক্রিকেট দলের বোলিং কোচ আছেন, ব্যাটিং কোচ আছেন, ফিল্ডিং কোচ আছেন, এবার একজন টকিং কোচ চাই, যিনি শেখাবেন কোন কথা কীভাবে বলতে হবে, কোন কথার জবাব দিতে হবে, কোন কথাটা ব্যাটসম্যানের বল ছেড়ে দেওয়ার মতো করে ছেড়েই দিতে হবে। ফিল্ডাররা যখন স্লেজিং করেন, তখন ব্যাটসম্যানদের যেমন মাথা ঠান্ডা রাখতে হয়, তেমনি সাংবাদিকেরা, ক্রীড়া-ভাষ্যকারেরা যখন সমালোচনার তুবড়ি ছোটাবেন, তখনো তাঁদের মাথা ঠান্ডা রাখতে হবে, ব্যাট সরিয়ে নিতে হবে, মুখ বন্ধ রাখতে হবে। দল জিততে থাকলে অবশ্য এই সবই সহজ হয়ে যায়, কিন্তু দল যখন হারতে থাকে, তখন সবই কঠিন মনে হয়। সেই কঠিন কাজটাই সহজভাবে করতে পারতে হবে একজন অধিনায়ককে।

দেশের শিশু-কিশোরেরা সাকিব আল হাসানকে দেখে শিখবে, কিন্তু ২৪ বছরের এই তরুণটি শিখবেন কার কাছ থেকে? বিশেষ করে সেই দেশে, যে দেশে নেতা-নেত্রীরা কথা বলেন না যেন ঝগড়া করেন। যে দেশে জাতীয় সংসদের স্পিকারকে বারবার সতর্ক করে দিতে হয় সংসদ সদস্যদের, তাঁরা যেন শালীন ভাষায় কথা বলেন। সেই দেশে, যে দেশের একজন জাতীয় নেত্রী আরেকজন নেত্রী সম্পর্কে বলে ফেলেন, উনি উন্মাদ হয়ে গেছেন। যে দেশের সরকারি দলের যুব সংগঠনের নেতারা সভা করে বলেন, তাঁদের অমুক তিন মন্ত্রী যেন মুখ বন্ধ করে রাখেন, কারণ ওই মন্ত্রীরা মুখ খুললেই 'ফাউল' হয়ে যায়।

কাজেই 'টকিং কোচ' যে কেবল আমাদের ক্রিকেট দলের জন্য লাগবে, তা-ই নয়; টকিং কোচ লাগবে আমাদের জাতীয় নেতা-নেত্রীদের জন্যও। আমাদের প্রধানমন্ত্রী একবার এক সাক্ষাৎকারে বলেছিলেন, ছোটবেলা থেকেই তিনি মুখের ওপরে অপ্রিয় সত্য কথা বলে ফেলতে অভ্যস্ত। ওটা ছোটবেলার গুণ বলে বিবেচিত হতে পারে, সাধারণ মানুষের জন্যও ওটা একটা সদভ্যাস বলেই গণ্য হবে, কিন্তু যখন আপনি দেশের প্রধানমন্ত্রী কিংবা বিরোধী নেত্রী, যখন আপনি প্রতিনিধিত্ব করেন একটি দেশকে বা দেশের অনেক মানুষকে, তখন অনেক সময় কথা কম বলা, না বলা, কৌশলী হওয়াই হতে পারে রাষ্ট্রনায়কোচিত গুণ। আগেকার দিনে রাজা-বাদশাদের সভায় বিদূষক থাকতেন, বীরবল কিংবা দোপেয়াজা বা গোপাল ভাঁড়, অপ্রিয় কথাগুলো তাঁদের মুখ দিয়েই বেরোত, কিন্তু

আজকাল দেখি গোপাল ভাঁড়ের দায়িত্ব আমাদের বড় নেতারাই নিজের মুখে তুলে নিয়েছেন। সব অপ্রিয় কথা কেন শেখ হাসিনাকেই বলতে হবে? তিনি তো কেবল আওয়ামী লীগের নেত্রী নন, তিনি দেশের প্রধানমন্ত্রী, বাংলাদেশের ১৬ কোটি মানুষেরই তিনি নেত্রী। যে কথা আওয়ামী লীগের ওয়ার্ড কমিটির নেতার মুখে মানায়, সেই কথা তাঁর মুখে কেন আমরা শুনব? সর্বশেষ জাতীয় নির্বাচনে আওয়ামী লীগ যে এত ভালো করল, তার একটা কারণ শেখ হাসিনা ভোটের আগে কথা বলেছিলেন অত্যন্ত মেপে এবং তাঁর মুখ থেকে অপ্রয়োজনীয় কথা শোনা যায়নি বললেই চলে। কিন্তু আজকাল দেখা যাচ্ছে, তিনি আবার মুখ খুলেছেন। আমাদের মনে আছে, ১৯৯১ সালের নির্বাচনের আগে তাঁর বেতার-টেলিভিশন ভাষণে আক্রমণাত্মক বচনের সমালোচনা হয়েছিল প্রচুর; অনেকে মনে করেন, ওই এক ভাষণই ছিল ভোটারদের মন পাল্টে দেওয়ার জন্য যথেষ্ট। ১৯৯৬ সালের নির্বাচনের আগে শেখ হাসিনা ছিলেন যথেষ্টই বিনয়ী। তুলনায় বিএনপি ছিল ঔদ্ধত্যপূর্ণ। বদরুদ্দোজা চৌধুরী টেলিভিশন অনুষ্ঠানে বলেছিলেন, আগামী ২০ বছরেও বিএনপি বিরোধী আসনে বসবে না। সেই নির্বাচনেই মানুষ বিএনপিকে তার আসন চিনিয়ে দিয়েছিল।

কাজেই আমাদের খেলোয়াড়দের যেমন, আমাদের নেতা-নেত্রীদেরও তেমনি কথা বলার কোচিং করতে হবে, সম্ভবত কথা বলার চেয়েও শিখতে হবে কথা না বলাটা। ক্রিকেটে যেমন বল না খেলাটাও একটা খেলা, তেমনি রাজনীতিতেও কথা না বলাটাও একটা রাজনীতি।

মহাবীর আলেকজান্ডার রাজ্যের পর রাজ্য জয় করে আসেন ভারতে, খ্রিস্টপূর্ব ৩২৬ সালে। ঝিলম নদীর তীরে রাজা পুরু তাঁকে রুখে দাঁড়ান। রক্তক্ষয়ী যুদ্ধ হয়। পুরু পরাজিত হন। তাঁকে বন্দি করে আলেকজান্ডারের সামনে আনা হয়। আলেকজান্ডার তাঁকে জিজ্ঞেস করেন, আপনি আমার কাছে কী রকম ব্যবহার আশা করেন? পুরু জবাব দেন, একজন রাজার কাছে আরেকজন রাজা যে রকম ব্যবহার আশা করতে পারে, আমি আপনার কাছে সেই রকম ব্যবহারই আশা করি। আলেকজান্ডার তাঁর কথায় মুগ্ধ হয়ে তাঁকে মুক্তি দেন এবং রাজ্য ফিরিয়ে দেন।

আমরা বাংলাদেশের অধিনায়কদের কাছ থেকে, তিনি বাংলাদেশ জাতীয় দলের অধিনায়কই হোন, আর বাংলাদেশ নামের দেশটার অধিনায়ক হোন, অধিনায়কোচিত আচার-আচরণ, উক্তি, বক্তৃতা আশা করি। তাঁরা যখন বাজে কথা বলেন, তখন কেবল তাঁদের নিজেদের ভাবমূর্তি ক্ষুণ্ন হয় না, দেশের মানুষও অধোবদন হয়ে পড়ে।

২৬-০৪-২০১১

অন্তত মঙ্গলবারে হাসুন

প্রথম আলোর ছুটির দিনে সাময়িকী বের হয় শনিবারে। তাতে একটা পাতা আছে কৌতুকের–শিরোনামঃ অন্তত শনিবারে হাসুন। শনি কথাটা বাংলায় সব সময় ইতিবাচকভাবে ব্যবহৃত হয় না। শনির দশা মানে খুবই খারাপ সময়। জিয়াউর রহমানের আমলে যখন স্বনির্ভর আন্দোলন নামে একটা কর্মসূচি হাতে নেওয়া হয়েছিল, তখন লোকে সেটাকে ঠাট্টা করে বলত শনির ভর। তবু, ছুটির দিনের বিজ্ঞ সম্পাদকেরা হতোদ্যম না হয়ে আমাদের শনিবারে হাসতে বলেছেন। আর আমার এই কলামটি, গদ্যকার্টুন, বেরোয় মঙ্গলবারে। এক মঙ্গলবারে রোদন করি, আরেক মঙ্গলবারে তাই হাসার চেষ্টা করি। হাসির পরে কান্না, বলে গেছেন বিনোদ খান্না। কান্নার পরে হাসি, বলে গেছেন বিনোদিনী দাসী। মঙ্গল কথাটার মধ্যেই আবার মঙ্গল নিহিত। হাসলে স্বাস্থ্য ভালো থাকে। কাজেই আসুন, সবাই হাসি এবং মঙ্গলমতো থাকি।

এ কারণেই বিভিন্ন দেশে লাফিং ক্লাব আছে। এই ক্লাবের সদস্যরা একত্র হয়ে হাসেন। আমাদের দেশেও ভোরবেলা রমনা বা ধানমণ্ডি লেকের ধারে গেলে দেখতে পাবেন, লোকে লাইন করে হাসছে। দলনেতা বলছেন, হা হা; তাঁর পেছনে সারিবদ্ধভাবে দাঁড়ানো স্বাস্থ্যসন্ধানীরাও জবাব দিচ্ছেন, হা হা। এই কৃত্রিম হাসিও স্বাস্থ্যের জন্য ভালো। আমাকে একজন চিকিৎসক বলেছেন, হ্যাঁ, ভালো। আমাদের মস্তিষ্ক নাকি ধরতে পারে না কোন হাসিটা কৃত্রিম, কোনটা আসল। ফলে, আসল হাসি হাসার ফলে শরীরে যেসব উপকারী এনজাইম নিঃসরিত হয়, কৃত্রিম হাসির ফলেও সেসব নিঃসরিত হয়। শুনে আমি অট্টহাসিতে মেতে উঠিঃ ব্রেনের দেখা যাচ্ছে ব্রেন নেই, সে নিজেই বলে কৃত্রিমভাবে হাসো, আবার নিজেই ধরতে পারে না যে এটা কৃত্রিম। এর চেয়ে বোকা আর কে হতে পারে?

সিলেট অঞ্চলে একটা কৌতুক প্রচলিত আছে। একজন আরেকজনকে জিজ্ঞেস করছে, ভাই, সেদিন যে মারা গেল, সে আপনি না আপনার ভাই? দ্বিতীয়জন উত্তর দিলেন, আমার ভাই। প্রথমজন নিশ্চিত হওয়ার ভঙ্গিতে

বললেন, তা-ই হবে, তাই তো বলি, আপনাকে দেখি, তাকে কয়দিন দেখি না কেন!

একটা গ্রামে সবাই বোকা। কিন্তু তারা মানতে নারাজ যে তারা বোকা। তারা পাশের গ্রামের স্কুলে বলল, আমরা বোকা না। আমাদের মধ্যে একজন ডক্টরেট ডিগ্রি পেয়েছেন। তাঁকে পরীক্ষা করলেই বুঝতে পারবেন।

তখন একজন শিক্ষক পিএইচডিধারীকে প্রশ্ন করতে শুরু করলেন, বলুন তো কোন প্রাণী তিন পা নিয়ে পাহাড়ে যায়, আর ফিরে আসে চার পা নিয়ে?

ডক্টর জবাব দিলেন, গরু।

হয়নি।

গ্রামবাসী চিৎকার করে উঠল, তাঁকে আরেকটা চান্স দিন, তাঁকে আরেকটা চান্স দিন।

আচ্ছা, বলুন তো ফ্রান্সের রাজধানীর নাম কী?

লন্ডন।

হয়নি।

সবাই চিৎকার করে উঠল, তাকে আরেকটা চান্স দিন।

তখন মাস্টার মশাই জিজ্ঞেস করলেন, আচ্ছা, বলুন তো এক আর এক যোগ করলে কী হয়?

ডক্টর সাহেব জবাব দিলেন, দুই।

সবাই চিৎকার করে উঠল, তাঁকে আরেকটা চান্স দিন, তাঁকে আরেকটা চান্স দিন।

এটা হলো সম্মিলিত বোকামির গল্প। আমরা মাঝেমধ্যে এই রকমভাবে কিছু বুঝে ওঠার আগেই স্লোগান ধরে ফেলি এবং নিজেদের ক্ষতি করি বটে। আবার আছে সম্মিলিতভাবে ভুলে যাওয়ার গল্প। গ্যাব্রিয়েল গার্সিয়া মার্কেজের জাদুবাস্তবতার জগতে। যেখানে সবাই সবকিছু ভুলে যেতে পারে ভেবে বস্তুর গায়ে তার নাম আর কাজ লিখে রাখা হয়। যেমন, এটা হচ্ছে রুটি, এটা সকালে নাশতা হিসেবে খাওয়া হয়। আমাদের একটা সম্মিলিত ভুলভুলাইয়া রোগ আছে। এটা থেকে মুক্তির উপায়টা সম্প্রতি একদল গবেষক বের করেছেন। মাস্টার চোয়া কোক সুই লিখিত *সুপারব্রেইন ইয়োগা* বইয়ে বিষয়টা বিবৃত হয়েছে। ভুলে যাওয়া রোগের এই চিকিৎসাটা ভারতে অনেক আগে থেকেই প্রচলিত ছিল। ওষুধ লাগবে না। শুধু একটা ব্যায়ামের চর্চা করতে হবে। ব্যায়াম মানে হলো, ডান হাত দিয়ে বাঁ কান আর বাঁ হাত দিয়ে ডান কান ধরে ওঠবস করা। হ্যাঁ, আমাদের শিক্ষকেরা আমাদের ছোটবেলায় যা করাতেন, অনেকটা সেটাই। আমার ভুলে যাওয়া রোগ আছে। আমি ঠিক করেছি, রোজ সকালে ১০ বার কানে ধরে ওঠবস করব।

আমরা কত কি ভুলে যাই। আমরা ভুলে যাই যে আমাদের কথা দেওয়া হয়েছিল, দুর্নীতি দূর করা হবে, দুর্নীতি দমন কমিশনকে শক্তিশালী করা হবে, আমাদের কথা দেওয়া হয়েছিল যে দলীয়করণ করা হবে না, দক্ষতা-যোগ্যতা হবে নিয়োগ-পদোন্নতির একমাত্র মাপকাঠি। আমাদের কথা দেওয়া হয়েছিল যে মানবাধিকার রক্ষা করা হবে, বিচারবহির্ভূত হত্যাকাণ্ড বন্ধ করা হবে। আমাদের বলা হয়েছিল, জিনিসপাতির দাম নিয়ন্ত্রণে রাখা হবে। কেউ কথা রাখেনি, ৪০ বছর কাটল, কেউ কথা রাখে না।

সম্প্রতি ইউনিভার্সিটি কলেজ লন্ডনের গবেষকেরা রক্ষণশীল আর উদারপন্থী, ডান আর বামদের মস্তিষ্কের আকার, ধরন ও গঠন নিয়ে গবেষণা করেছেন। ৭ এপ্রিল ২০১১ *টেলিগ্রাফ* পত্রিকায় প্রকাশিত খবরে বলা হয়েছে, বৈজ্ঞানিকেরা দেখেছেন, কে কোন পন্থা সমর্থন করবেন, এটা তাঁদের ব্রেইনের আকারেই নিহিত আছে। রক্ষণশীলদের মগজের মধ্যে ভয় আর উদ্বেগের চেম্বারটা বড়। আর বামপন্থীদের যাঁরা শ্রমিক দলকে ভোট দেন, তাঁদের মগজের সামনের অংশটা বড়, যা সাধারণত জীবনের উজ্জ্বল দিক সম্পর্কে মানুষকে আগ্রহী ও সাহসী করে তোলে।

আর উভয়ের মগজের মধ্যেই এই বৈশিষ্ট্যটাও থাকে যে তারা পরস্পরের চোখের দিকে তাকাতে পারে না।

এখন আমরা বুঝছি, কেন আমাদের নেতারা পরস্পরের মুখ দেখাদেখি থেকেও বিরত থাকেন।

তপন রায়চৌধুরী *রোমন্থন অথবা ভীমরতিপ্রাপ্তের পরচরিত চর্চা* বইয়ে মুখ দেখা সমস্যার একটা সমাধান দিয়েছিলেন। শেরেবাংলা ফজলুল হককে কে যেন বলেছিল, তুমি মিয়া এমন কাজ করছ, তোমার জন্য তো মুখ দেখানোর উপায় নাই। ফজলুল হক তার উত্তরে বলেছিলেন...কী বলেছিলেন, সেটা আমি আর বলতে চাই না। বইটা পড়লে আপনারা জেনে যাবেন।

১৫-০২-২০১১

ফাল্গুন, ভালোবাসা, পুঁথি ও মুখপুঁথি

যৌবনে দাও রাজটীকা। লিখেছিলেন প্রমথ চৌধুরী। তাঁর উপলক্ষ ছিল বসন্ত। আগের জমানায় খুব বসন্ত দেখা দিত। জলবসন্ত নয়, রীতিমতো গুটিবসন্ত। সেই বসন্তে আক্রান্ত হলে বাঁচার আশা ছিল খুব কম। তারপর বসন্তের প্রতিষেধক টিকা আবিষ্কৃত হলো। যৌবনে তাই রাজটীকা অর্থাৎ সরকার কর্তৃক বিনি পয়সায় বিতরণকৃত টিকা দেওয়া স্বাস্থ্য ও আয়ুর জন্য উপকারী বলেই বিবেচিত হতো। এখন অবশ্য বসন্ত নির্মূল হয়ে গেছে। এখন অন্যান্য রোগের টিকা নেওয়া আবশ্যক বলে বিবেচিত হলেও বসন্ত রোগের টিকা নেওয়ার দরকার পড়ে না।

তবে ঢাকা শহরের দিকে তাকিয়ে মনে হচ্ছে, ফাল্গুন ও চৈত্র মাস মিলে যে বসন্ত, সেটাও নির্মূল হওয়ারই পথে। গাছগাছড়া বলতে তো আর কিছুই অবশিষ্ট রইল না এই শহরে। ইশ্, বুদ্ধদেব বসুর *আমার যৌবন* নামের বইয়ে ঢাকা বিশ্ববিদ্যালয় আর রমনার কী অপূর্ব বর্ণনাই না আছে! ঢাকাকে বুদ্ধদেব বসু বলেছেন 'উদ্যাননগরী'।

তবে গাঁদাফুল বিস্তর চোখে পড়েছে এবারের পয়লা ফাল্গুনে। চাষের গাঁদা, নিশ্চয়ই গাদা গাদা ফলে, আর সারা বছরই পাওয়া যায়। তবু তো ফুল। এইখানে মনে পড়ে যায় প্রয়াত কবি সমুদ্র গুপ্তের একটা দুই লাইনের কবিতা: 'আমি বললাম, ফুল। তুমি বললে, ফুল, ও তো কাগজের। আমি বললাম, তবুও তো ফুল, লোকটা তো কাগজ দিয়ে বন্দুকও বানাতে পারত।' সেই। চাষের ফুল হোক আর বাগানের ফুল হোক, ফুল না ফলিয়ে লোকে তো বারুদের দোকানও দিতে পারত।

আহা, *টার্টল্স ক্যান ফ্লাই* নামের ছবিটার কথা মনে পড়ছে। পাঁচ-ছয় বছরের বাচ্চাগুলো, রোজ খেতে যায়, লাইন করে আমাদের কিষানেরা যেমন নিড়ানি দিয়ে ঘাস তোলে, ওরা, ওই শিশুরা তেমনি করে মাইন বা বোমা তোলে। সেসব তুলে তারা বিক্রি করে। ইরানে, ইরাকে–এসব এলাকায়। ওই শিশুদের বেশির ভাগেরই পা নেই, হাত নেই। বোমায় উড়ে গেছে। চা-বাগানের

শ্রমিকদের মতো মাইনগুলো সারা দিন তুলে দিনের শেষে সেসব জমা দিয়ে তারা টাকা গুনে নেয়।

আমি এই লেখাটা লিখছি ১৪ ফেব্রুয়ারিতে, ভ্যালেন্টাইন দিবসে। লোকে আমাকে জিজ্ঞাসা করে, এই যে ভ্যালেন্টাইন ডে, এটা তো বিদেশি অপসংস্কৃতি, এটাকে আপনি কী চোখে দেখেন। আমি বলি, ভাই, এক দিন ভালোবাসব, আর কোনো দিন বাসব না, তা তো না, প্রতিটা দিনই ভালোবাসা দিবস, তবু ভালোবাসা দিবস পালন করছে, সেটা তো ভালোই, লোকগুলো তো ঘৃণা দিবস বা যুদ্ধ দিবসও পালন করতে পারত। ছোটবেলায় আমাদের একটা স্কুলপাঠ্য কবিতা ছিল:

ও ভাই ভয়কে মোরা জয় করিব হেসে,
গোলাগুলির গোলেতে নয়, গভীর ভালোবেসে।
ভালোবাসায় ভুবন করে জয়,
সখ্যে তাহার অশ্রুজলে শত্রু মিত্র হয়,
সে যে সৃজন পরিচয়।

কাজেই আমি ভালোবাসা দিবসের ভালো দিকটাকেই দেখি, গোলাগুলির বদলে সবাই গলাগলি করুক, আমি তো তা-ই চাই। নারী-পুরুষও পরস্পরকে ভালোবাসুক না! রফিক আজাদের কবিতায় আছে, 'তিনি দেখতে চান, তার প্রত্যাশা হলো, ঘরে ঘরে শুয়ে আছে নির্বিরোধ পুরুষ-রমণী।'

এবার বইমেলায় একটা বই বেরিয়েছে আবদল্লাহ আবু সায়ীদের, বহে *জলবতী ধারা* (২য় খণ্ড), সময় প্রকাশন থেকে। তাতে আবদল্লাহ আবু সায়ীদ উল্লেখ করেছেন তাঁদের সময়ের নারীবর্জিত পৃথিবীর কথা, যখন বিশ্ববিদ্যালয়ে ছেলে-মেয়ে কথা বললে এক আনা জরিমানা হতো। কিন্তু তিনি লিখেছেন, বিশ্ববিদ্যালয়ে সংস্কৃতি সপ্তাহে মঞ্চে উঠে কবিতা আবৃত্তি ইত্যাদি বিষয়ে তিনি অংশ নিতেন, শুধু একটি ছাত্রী গোল গোল চোখ নিয়ে দর্শকসারিতে বসে থাকবে, এই আশায়। নারীরা চিরটাকাল নিজের অজান্তেই পুরুষদের প্রেরণা দিয়েছে। হয়তো নারীদেরও পুরুষরা দিয়ে থাকবে।

বইমেলায় বর্ধমান হাউস চত্বরের আমগাছটায় এবার মুকুল আসেনি। কোকিলের গানও এখনো শুনতে পাইনি মেলায়। বৈশ্বিক উষ্ণায়নের কারণে ফাল্গুনের প্রথম প্রহরগুলোকেই মনে হচ্ছে নিদাঘ চৈত্রদুপুর বলে। অথচ ছোটবেলা থেকেই যে শুনে আসছি, এক মাঘে শীত যায় না। এবারের শীত কি মাঘ আসার আগেই চলে গেল?

ফাল্গুনে বিকশিত কাঞ্চনফুল, ডালে ডালে পুঞ্জিত আম্রমুকুল। আমের মুকুল বইমেলায় দেখিনি, তবে ঢাকা বিশ্ববিদ্যালয় এলাকাতেই অন্য গাছে দেখেছি। মুকুলের নিয়ম হলো, যত মুকুল ধরে, তত আম হয় না। বইমেলায় নাকি ভালো

বই খুব কম। এটাও ওই একই সূত্র মানছে, অনেক বই বেরোবে ঠিকই, সব বই ঠিক বই হয়ে উঠবে না। তবে আমাদের প্রকাশকদের উচিত, এবার একটু বই প্রকাশনায় পেশাদারির দিকে মনোযোগ দেওয়া। পাণ্ডুলিপি বাছাই, সংশোধন, সম্পাদনা, প্রুফ রিডিং–নির্ভুল করে বইটা বের করা, এসবে কি তাঁরা একটু যত্ন নেবেন?

আবহাওয়া আসলেই উল্টোপাল্টা হয়ে গেছে। এবার নাকি শীতকালে প্রচুর ইলিশ মাছ ধরা পড়ছে। এই নিয়ে পরিবেশবিদ আর মৎস্যবিদদের মাথায় হাত পড়েছে। কী কাণ্ড কী কাণ্ড! শীতকালে কেন ইলিশ ধরা পড়বে!

বলছিলাম, সব বই বই নয়। সব পাঠকও তাহলে পাঠক নয়। কিন্তু কচুগাছ কাটতে কাটতে যেমন ডাকাত হয়ে যায় লোকে, একদিন চটুল বই পড়তে পড়তেই ছেলেরা সাবালক হয়, তখন তারা সিরিয়াস বইয়ের পাঠক হয়ে ওঠে।

তবে আমাদের দেশে সাবালকেরা বই পড়েন কম। বাসে-ট্রেনে এই দেশে লোকদের বই পড়তে দেখা যায় না। বিদেশে যাত্রীরা কিন্তু যানবাহনে, বিমানবন্দরে সারাক্ষণ বই পড়ে। নির্মলেন্দু গুণ লিখেছিলেন একবার, 'বয়স্ক পাঠকেরা গেলেন কোথায়?'

বয়স্ক পাঠকেরা বই না পড়লে আমাদের প্রকাশনা জগৎও প্রাপ্তবয়স্ক হবে না। শুধু কিশোরপাঠ্য বইই তারা বের করতে থাকবে।

তাই বলে বইমেলায় ভালো বই নেই, তাও নয়। সৈয়দ শামসুল হক আমাকে আমার কিশোরবেলায় বলেছিলেন (তিনি রংপুরে গেলে আমি তাঁর সাক্ষাৎকার নিতে গিয়েছিলাম, আজ থেকে বছর তিরিশ আগে) যে, 'অনেকেই বলেন, এ দেশে ভালো বই পাওয়া যায় না। আমি তাঁদের বলি, আমাদের মধ্যে কজন বঙ্কিমচন্দ্র পুরোটা পড়েছি, কজন মাইকেল মধুসূদন দত্ত পুরোটা পড়েছি?'

তাই তো। তাহলে তো বইমেলায় গিয়ে ক্লাসিকগুলো কেনা যায়। প্রতীক বা অবসরের রবীন্দ্রনাথ, নজরুল, মানিক, বিভূতি, জীবনানন্দ দাশ, মীর মশাররফ হোসেন কি সবার কেনা হয়ে গেছে? কী বললেন, বইয়ের দাম বেশি! সৈয়দ মুজতবা আলীর মতো বলতে হয়, কোথায় দাঁড়িয়ে বলছে লোকটা ওকথা, সিনেমার টিকিটের কাউন্টারে দাঁড়িয়ে, নাকি ফুটবল খেলার টিকিটের লাইনে দাঁড়িয়ে। এক হাজার টাকা থেকে ১০ হাজার টাকা করে ক্রিকেট বিশ্বকাপের উদ্বোধনী টিকিটের দাম, আগের দিন থেকে সবাই লাইনে দাঁড়িয়ে। এই দেশের মানুষের টাকা নাই? চার কোটি মোবাইল যে দেশে, সে দেশে কেন চার কোটি বই বিক্রি হবে না?

ফাল্গুন থেকে ভালোবাসা, ভালোবাসা থেকে বইমেলা, বইমেলা থেকে বই, এই লেখাটা যে কোথায় যাচ্ছে? তবে ঘুরেফিরে বইয়েই আসি। বুক। ফেসবুক। মুখপুঁথি। ফেসবুক জিনিসটাকে আমরা যতই হেলাফেলা করি না কেন, এটা

মোটেও হেলাফেলার জিনিস নয়। ফেসবুকের মাধ্যমেই বিপ্লব সংগঠিত হয়েছে, এবং সেটা অবশেষে সংঘটিত হয়েছে। মিসরে ৩০ বছরের মোবারকি শাসনের অবসান ঘটিয়ে ওরা বলছে, গণতন্ত্র মোবারক।

আমাদের দেশেও একটা ডিজিটাল প্রজন্ম গড়ে উঠেছে। এটাকে অনেকেই এখনো হেলাফেলা করছেন। কিন্তু খোঁজ নিলে জানবেন, গত নির্বাচনে এরা ব্যাপকভাবে জনমত সংগঠিত করেছে। আগামী নির্বাচনেও করবে। শুধু নির্বাচন নয়, আমাদের বহু আর্থসামাজিক-রাজনৈতিক ব্যাপারে এই ফেসবুকাররা একটা শক্তি হয়ে দেখা দিয়েছে।

গত বছর, রস+আলোর মলাটের জন্য দুই লাইনের একটা বাণী রচনা করে দিয়েছিলাম। ওটার কপিরাইট এখনই দাবি করে রাখি–কথা নয় মুখে মুখে, ও ঝামেলা গেছে চুকে, কথা হবে এসএমএসে, কথা হবে ফেসবুকে।

ফেসবুক নিয়ে আমার একাধিক কবিতা আছে। এর একটা, এবার যখন আমেরিকার আইওয়াতে যাই, একজন নিউইয়র্কার তরুণ কবি, সারা আকান্ত অনুবাদ করেছিলেন। আমার একটা লাইন ছিল, 'ফেসবুকেও তোমাকে পেলাম না, না তোমার ফেইস, না তোমার বুক'...এখন বুকের অনুবাদ কী হবে? হৃদয়, নাকি পুস্তক?

আসলেই, অনুবাদ করলে যা হারিয়ে যায়, তারই নাম কবিতা।

যা হোক, আমার পাঠকদের আমি বসন্তের ও ভালোবাসা দিবসের শুভেচ্ছা জানিয়ে বলি, আসুন, বসন্তে ও ভালোবাসা দিবসে প্রিয়জনকে বই উপহার দিই।

০১-০৩-২০১১

একটি হাস্যময় অভিযান

বছর দুয়েক আগের কথা। আমেরিকার হিউস্টনে প্রবাসী বাংলাদেশিদের মিলনমেলা বসেছে। তার মূল বিষয় ছিল মুক্তিযুদ্ধ। ঢাকা থেকে গেছেন অধ্যাপক আনিসুজ্জামান, নাসির উদ্দীন ইউসুফ, আক্কু চৌধুরী প্রমুখ। মুক্তিযুদ্ধ জাদুঘরের কিছু প্রদর্শনযোগ্য জিনিসও নেওয়া হয়েছে প্রদর্শনীর জন্য। এর মধ্যে একটা আয়োজন হলো মুক্তিযোদ্ধাদের পুনর্মিলনী ও স্মৃতিচারণা। হিলটন হোটেলে নাসির উদ্দীন ইউসুফের সঙ্গে দেখা করতে এসেছেন একজন মধ্যবয়সী বাংলাদেশি। মোটাসোটা ধরনের মানুষ। চেহারার মধ্যেই একটা ভালোমানুষি ভাব। তিনি নাসির উদ্দীন ইউসুফের সামনে এসে সটান দাঁড়িয়ে পড়লেন। সৈনিকের কায়দায় অভিবাদন জানালেন পা ঠুকে, হাত চোখ বরাবর তুলে। তারপর তাঁরা পরস্পরকে ধরলেন জড়িয়ে। শুরু হলো কান্না। দুজনই কাঁদছেন।

নাসির উদ্দীন ইউসুফ বললেন আমাকে, 'চিনেছ? এ হলো মুনির। আমার মুক্তিযোদ্ধা দলের মুনির। জানো, কত দিন পরে যে মুনিরের সঙ্গে দেখা হলো!'

মুক্তিযোদ্ধাদের স্মৃতিতর্পণ পর্বে মুনির যখন তাঁর মহাবিপজ্জনক অপারেশনের গল্প করছিলেন, শ্রোতারা হেসে গড়াগড়ি খাচ্ছিল।

গল্প বলার সেই ঢংটা আমি ভুলতে পারি না। বারবার মনে হয়, তাঁর মতো করে যদি গল্প বলতে পারতাম!

মুনির এখন বাংলাদেশে। আমেরিকা থেকে চলে এসেছেন। এখন ফেনীতে ভাইদের বাড়ি বানানোর কাজ নিয়ে ব্যস্ত। আজ পয়লা মার্চ। স্বাধীনতার চার দশক পূর্তির এই বছরে স্বাধীনতার মাসের আজ প্রথম দিন। গদ্যকার্টুনে কী লেখা যায়? মনে হলো, মুক্তিযোদ্ধা মুনিরের সেই গল্পটা তাঁর জবানিতেই শুনি না কেন?

আবু তাহের মোহাম্মদ মুনির উদ্দিন তাঁর পুরো নাম।

তিনি বলছেন:

আমরা, সেক্টর টুর গেরিলারা, ঢাকায় নানা অভিযানে অংশ নিচ্ছি। মাসটা, যত দূর মনে পড়ে, অক্টোবর। ট্রেনিং ক্যাম্প থেকে খবর এল, টাকা দরকার। আমাদের ছেলেরা ঠিকভাবে সেখানে খাবার পাচ্ছে না। টাকা জোগাড় করো।

তখন আমরা ঠিক করলাম, আমরা একটা ব্যাংক ডাকাতি করব। আমাদের কমান্ডার রেজাউল করিম মানিক, পরে শহীদ হন, উনিও পল্টনের। সহকারী কমান্ডার নাসির উদ্দীন ইউসুফ, তিনিও পল্টন এলাকার। তখন আমাদের চোখ পড়ল জোনাকি সিনেমা হলের কাছে পলওয়েল সুপার মার্কেটের মুসলিম কমার্শিয়াল ব্যাংকের ওপর। এই ব্যাংক ডাকাতি করতে হবে। আমরা রেকি করে এলাম দুই দিন। তখন মার্কেটটা ছিল একতলা। নিচে ব্যাংকটা চালু হয়েছে আর রাস্তার বিপরীত দিকে কতগুলো অসমাপ্ত দোকানের কাজ চলছে। একজন গাট্টাগোট্টামতো দ্বাররক্ষী রাইফেল হাতে সেই ব্যাংকের দরজায় বসে থাকে। তার চোখ থাকে ওই দোকানগুলোর নির্মাণকাজের দিকে। রাস্তার দিকে সে তাকায় না। দুই দিনই আমরা সেই একই দৃশ্য দেখলাম।

তারপর আমরা অপারেশনের পরিকল্পনা করে ফেললাম। আসাদ (রাইসুল ইসলাম আসাদ, এখন খ্যাতিমান অভিনেতা) সঙ্গে নেবে একটা স্টেনগান। আমি নেব একটা খেলনা পিস্তল। দারোয়ানের কাছ থেকে রাইফেলটা কেড়ে নিতে পারলেই বাকি কাজ হয়ে যাবে।

আসাদ স্টেনগানটা নিল একটা কম্বলে পেঁচিয়ে। আমরা রওনা হলাম রিকশায়। আমি আর ফিরোজ একটা রিকশায়। আসাদ আরেকটায়। আরও বোধহয় জন আর ফেরদৌস ছিল। আরিফ নামের একজন মুক্তিযোদ্ধার বাবা ছিলেন পীরসাহেব। তাঁর ছিল কালো মরিস মাইনর গাড়ি। সেটা নিয়ে আরিফ ব্যাংকের উল্টো দিকে গিয়ে দাঁড় করাল। জন আগে থেকেই সেখানে দাঁড়িয়ে ছিল। সে সিগন্যাল দিল, অল ক্লিয়ার। আমি আর ফিরোজ এগিয়ে যেতে লাগলাম ব্যাংকের দিকে। স্টেনগান নিয়ে আসাদ রাস্তার এই ধারেই রিকশায় বসা। ২০০ গজ দূরে রাস্তায় দুটো পাকিস্তানি আর্মির ট্রাক দেখা যাচ্ছে।

আমি আর ফিরোজ রাস্তা পার হলাম। গিয়ে দেখি, বিধি বাম! প্রতিদিন দারোয়ান কনস্ট্রাকশনের দিকে মুখ করে বসে থাকে, আজ সে তাকিয়ে আছে রাস্তার দিকে। আমাদের চোখের দিকে তার চোখ। তাই আর সরাসরি তার বুকে পিস্তল না ঠেকিয়ে প্রথমে ভেতরে গেলাম। আর তা দেখে আসাদ ভাবল, আমরা ব্যাংক ডাকাতির পরিকল্পনা বাদ দিয়েছি। সে তার স্টেনগান নিয়ে ঘটনাস্থল ত্যাগ করল।

আমি আর ফিরোজ বের হয়ে এলাম। আমি ফিরোজকে বললাম, 'যা, আসাদকে ডেকে আন।' ফিরোজ আসাদকে খুঁজতে গেল। আমি দেখলাম, দারোয়ান একটু অন্যমনস্ক হয়েছে। এই সুযোগ। আমার খেলনা পিস্তল তার পিঠে ঠেকিয়ে বললাম, 'আমরা মুক্তিযোদ্ধা, রাইফেলটা দিয়ে দাও, না হলে গুলি করে খুলি উড়িয়ে দেব।' দারোয়ান সঙ্গে সঙ্গে কাঁধ থেকে রাইফেল নামানোর চেষ্টা করতে লাগল। আমি এক হাতে খেলনা পিস্তল নিয়ে অন্য হাতে তার

রাইফেল ধরে ঝুলে পড়লাম বাদুড়ের মতো। একফাঁকে তাকে ধাক্কা দিয়ে ঢুকিয়ে ফেললাম ব্যাংকের ভেতর। ম্যানেজারকে বললাম, 'আমরা মুক্তিযোদ্ধা, টাকা লুট করতে এসেছি। ভালোয় ভালোয় রাইফেলটা আপনার গার্ডকে ছাড়তে বলেন।' ওই ম্যানেজারই সেদিন আমার জীবন বাঁচিয়েছিল। ম্যানেজার বলল, 'রাইফেল ছাড়ো।' দারোয়ান রাইফেল ছাড়ল। ততক্ষণে ফিরোজও এসে পড়েছে। আমার খেলনা পিস্তল উঁচিয়ে আমরা ক্যাশবাক্স থেকে টাকা বের করলাম। এখন নেব কীভাবে? কোনো ব্যাগ-থলে আনিনি। আমার শার্টটা খুললাম। সেই শার্টের ভেতর টাকা রাখা হলো।

আমরা বেরিয়ে আসছি। ততক্ষণে ব্যাংকের সামনে জনতার ভিড় লেগে গেছে। আমরা বেরোনো-মাত্র নদীর পানি দুই ভাগ হয়ে যাওয়ার মতো করে জনতা দুই ভাগে ভাগ হয়ে আমাদের রাস্তা করে দিল। রাস্তা পার হচ্ছি। শার্টের দুই হাতের ফাঁক গলে টাকা পড়তে লাগল। আর লোকজন তালি দিয়ে উঠল। তারা বলাবলি করতে লাগল, মুক্তিযোদ্ধা, মুক্তিযোদ্ধা।

দৌড়ে গিয়ে আরিফের গাড়িতে উঠব। গাড়ি স্টার্ট দেওয়াই ছিল। ফিরোজ উঠেছে। আমি তখনো উঠিনি। অমনি আরিফ উত্তেজনায় গাড়ি চালাতে শুরু করে দিয়েছে। আমি লাফিয়ে গাড়ির জানালা ধরে আবার বাদুড়ঝোলার মতো ঝুলে রইলাম। কিছুদূর যাওয়ার পর আরিফ গাড়ি থামাল। আমি ঠিকভাবে ভেতরে গিয়ে বসলাম। গাড়ি আমাদের নিয়ে গেল নওরতন কলোনিতে।

মুনির ভাই এরপর শোনালেন আরেকটা কাহিনি। তাঁরা, মুক্তিযোদ্ধারা, সবাই নৌকায় করে সীমান্ত থেকে ঢাকার দিকে আসতেন। ওইভাবে আসতে গিয়েই ব্রিজের কাছে পাকিস্তানি সৈন্যদের গুলিতে ফরিদপুরের জনা ত্রিশেক মুক্তিযোদ্ধা শহীদ হয়েছিলেন। তাঁরাও একবার বিপদে পড়েছিলেন। নৌকায় ঘুমিয়ে ঘুমিয়ে আসছেন রাতের অন্ধকার চিরে। ঘুম ভাঙল তাঁর গুলির শব্দে। নৌকা থেকে লাফিয়ে নামলেন। গুলি আসছে ব্রিজের ওপর থেকে। নৌকাটা সরিয়ে ওই ওদিকে খাঁড়ির ভেতর নিয়ে যেতে পারলে গুলির রেঞ্জের বাইরে তাঁরা যেতে পারেন। কিন্তু একি! কে যেন তাঁর পা টেনে নিচে নিয়ে যেতে চাইছে তাঁকে। ছোটবেলায় শুনেছিলেন পানির মধ্যে শেকল থাকে। সেই শেকল পা ধরে টেনে মানুষকে ডুবিয়ে মারে। তিনি সেই শেকল ধরে টান মারলেন। উঠে এল সহমুক্তিযোদ্ধা ইফু। সে সাঁতার জানে না। তাকে বললেন, 'তুই নৌকায় ওঠ।' সে বলল, 'উঠতে পারব না। আমার লুঙ্গি হারিয়ে গেছে।'

'আরে রাখ তোর লুঙ্গি। আগে বাঁচ।'

এমনি করে তাঁরা পৌঁছালেন নিরাপদ একটা জনপদে। মুক্তিযোদ্ধারা একে একে জড়ো হয়েছেন সেখানে। তাঁরা থাকবেন কই? মুনির বলছেন: আমাদের ভাগ করে দেওয়া হলো, একেকজন থাকব একেকজন গ্রামবাসীর ঘরে। রাতটা

পার করব। আমাকে দেওয়া হলো এক রিকশাওয়ালার সঙ্গে। গভীর রাতে আমি হাজির হলাম তার ঘরে। রিকশাওয়ালা তার বউকে ডেকে বলল, 'মুক্তিযোদ্ধা আইছে, ভাত রান্দো।'

'ভাত তো রান্দুম। তরকারি কী দিবা?'

'মুরগিটা জবাই করো।'

'ডিম-পাড়া মুরগি জবাই করবা?'

আমি বললাম, 'না না, ডিমপাড়া মুরগি জবাই করতে হবে না। একটা ডিম ভেজে দিলেই হবে।' যখন বলছি, তখনই মুরগিটা শেষবারের মতো কক করে উঠল। জবাই হয়ে গেছে।

মুক্তিযোদ্ধা আবু তাহের মোহাম্মদ মুনির উদ্দিন, গতকাল ২৮ ফেব্রুয়ারি ২০১১, ৪০ বছর আগের এক রিকশাওয়ালা পরিবারের সেই আতিথেয়তার কথা, ভালোবাসার কথা মনে করে টেলিফোনে কাঁদতে লাগলেন। তিনি এখন ফেনীতে। আমি বসে আছি ঢাকায়। টেলিফোনে তাঁর কাছ থেকে মুক্তিযুদ্ধের গল্প রেকর্ড করে নিচ্ছি। কিসের গল্প, ফোনে শুধু আসছে মুনির ভাইয়ের কান্নার শব্দ। কাঁদতে কাঁদতেই তিনি বলেন, 'সরি ভাই, আবেগপ্রবণ হয়ে যাচ্ছি।'

এই কান্নার সঙ্গে আমি আগে থেকেই পরিচিত। *বিচিত্রার* সম্পাদক শাহাদত চৌধুরীর সাক্ষাৎকার নিতে যেতাম তাঁর বাসায়, ২০০২/২০০৩ সালে। প্রতিবার স্মৃতিচারণা করতে গিয়ে তিনি কান্নায় ভেঙে পড়তেন শিশুর মতো।

মুক্তিযুদ্ধ আমাদের বড় ভালোবাসার ধন। বড় দুর্বলতার জায়গা। মুক্তিযুদ্ধের অনেক বীরত্বের গল্প, হাসির ঘটনার সঙ্গেও অনেক ভালোবাসার অশ্রু মাখা আছে।

১৫-০৩-২০১১

চট্টগ্রামগামী ট্রেনে বসে লেখা

চট্টগ্রাম যাচ্ছি। ট্রেনের নাম তূর্ণা নিশীথা। রাত ১১টার ট্রেন ছেড়েছে ১২টায়। তবুও যে ছেড়েছে। এখন সকাল সাতটা। পুবের দিকে দরজাটা খুলতেই ভোরের আলো। আজ ১৪ মার্চ। নতুন দিনের শুরু। আজকের সূর্য বাংলাদেশকে নতুন আলোয় রাঙিয়ে দেবে, এই আশায় আমরা চলেছি চট্টগ্রামে, জহুর আহমেদ চৌধুরী স্টেডিয়ামের উদ্দেশে। আজ যেন বাংলাদেশ ক্রিকেট দলের জয় হয়!

২.

আমাদের যোগাযোগব্যবস্থায় রেলকে ১ নম্বর গুরুত্ব দেওয়া হোক। রেল আর নৌপথকে। নইলে আমরা চলতে পারব না। আমাদের ছোট দেশে মানুষ বেশি। যত রাস্তাই বানানো হোক না কেন, যানজট লেগে থাকবেই। তাতে খরচ বেশি, পরিবেশদূষণ বেশি, শ্রমঘণ্টার অপচয়। এই তো ফেব্রুয়ারির ২২ তারিখে ঈশ্বরদী যাব বলে ভোর পাঁচটায় উঠেছি ঘুম থেকে। ছয়টায় বেরিয়েছি বাসা থেকে। কমলাপুর স্টেশনে পৌঁছেছি সাড়ে ছয়টায়। ট্রেন ছাড়ার কথা সাতটায়। সেই ট্রেন ছাড়ল ১১টায়। রেল যেন সতিনের ছেলে। কর্তৃপক্ষ বিমাতা। বাংলাদেশে রেল ভালো চলুক, এটা নাকি চান না বাস-ট্রাকের মালিকেরা। আর যেসব দেশ বা প্রতিষ্ঠান থেকে বাস-ট্রাক আমদানি করা হয়, তাদেরও নাকি যোগসাজশ থাকে। কথাটা কি ঠিক?

৩.

আহমদ ছফা বলেছিলেন, আওয়ামী লীগ যখন জেতে, তখন আওয়ামী লীগ একা জেতে। আর যখন হারে, তখন পরাজিত হয় সমস্ত বাংলাদেশ। আর হুমায়ুন আজাদ বলেছিলেন, আওয়ামী লীগ যার প্রতিদ্বন্দ্বী, তাকে জেতার জন্য কিছুই করতে হয় না। বর্তমান সরকারের ক্রিয়াকর্ম দেখে তা-ই কি মনে হচ্ছে না?

নতুন প্রজন্ম আওয়ামী লীগকে বিপুল ভোটে জিতিয়েছে গত নির্বাচনে। কারণ, তারা দেখেছে, এই দল আধুনিকতার কথা বলে, অসাম্প্রদায়িকতার পথে

চলতে চায়, যুদ্ধাপরাধীদের বিচার করতে চায় এবং গড়তে চায় ডিজিটাল বাংলাদেশ। মানুষ দলে দলে গেছে ভোটকেন্দ্রে, ভোট দিয়েছে আওয়ামী লীগকে। কিন্তু বিজয়ের পর এই বিজয় আর জনগণের থাকেনি, হয়ে গেছে আওয়ামী লীগের একার বিজয়। সবকিছু আওয়ামী লীগ একা করছে। আওয়ামী লীগ একা করছে, নাকি সবই হচ্ছে ক্ষমতার একটা মাত্র কেন্দ্র থেকে। শেখ হাসিনা কি নিঃসঙ্গ নন? ক্ষমতা মানুষকে নিঃসঙ্গ করে। এটা এর আগে মনোবিজ্ঞানী-সমাজবিজ্ঞানীর লেখা থেকে উদ্ধৃত করে পাঠকদের জানিয়েছিলাম।

৪.

ওয়েটিং রুমে ট্রেনের জন্য অপেক্ষা করছিলাম সেদিন। একজন প্রবীণ লোক আমার পাশের আসনে বসলেন। তারপর আমার মুখটা নিরীক্ষণ করে বললেন, 'ছোট ভাই, আপনি না লেখক। পেপারে লেখেন?'

'জ্বি।'

'আপনি কি নেত্রীকে একটা কথা বলতে পারবেন? আমি ১৯৭৫ সালের পর প্রতিবছর ১৫ আগস্টে মিলাদের আয়োজন করি নিজের গ্রামে। একবার তো তখনকার সরকারের লোকজন আমার খিচুড়ির হাঁড়িপাতিল সব উল্টায়া দিছিল। কত জুলুম-অত্যাচার সহ্য করছি। বাড়িতে বঙ্গবন্ধুর ছবি টাঙাতে পারি নাই বলে বঙ্গবন্ধুর ছবিওয়ালা টাকা রাখছিলাম। নেত্রীকে বলবেন, ওনাকে মিনতি করি, উনি যেন আরেকবার ভোটে জিতে ক্ষমতায় আসেন।'

আমি হেসে বলি, 'এটা আপনাকে মিনতি করতে হবে কেন? উনি তো নিজেই চাইবেন আরেকবার ক্ষমতায় ফিরে আসতে!'

ভদ্রলোক বললেন, 'আরে না। উনি মনে হয় চান না, আরেকবার উনি ভোটে জেতেন, সেইটা চাইলে কেউ এত উল্টাপাল্টা কাজ করতে পারে? ওনার এক নম্বর শত্রু জামাত, পাকিস্তানি চক্র। এক নম্বর প্রতিপক্ষ বিএনপি। ওনার শত্রু তারা, যারা তাঁকে মারার জন্য বোমা পাতছিল। বোমা মারছিল। বাকিরা তো ওনার শত্রু না। বড়জোর সমালোচক। উনি শত্রুদের ঘায়েল না করে সমালোচকদের পিছনে সময় নষ্ট করতেছেন কেন? উনি কেন বন্ধুদের শত্রু বানাচ্ছেন? শত্রুর সংখ্যা বাড়ায়া ফেলছেন? তার মানে কী, জানেন? উনি আরেকবার ভোটে জিততে চান না। উনাকে বলেন, প্লিজ, উনি যেন আরেকবার ক্ষমতায় ফিরে আসেন। আর সেটা ইলেকশনে জিতে। মানুষের ভোট পেয়ে।'

আমি ভদ্রলোকের চোখের দিকে তাকাই। তাঁর চোখে পানি ছলছল করছে। তিনি আকুল স্বরে বলেন, 'আপা কেন আরেকবার ক্ষমতায় আসতে চাইতেছেন না? আমার ট্রেন এসে গেছে, আমি যাই।' বলে তিনি ওয়েটিং রুম ত্যাগ করেন।

৫.

আওয়ামী লীগ যখন জেতে, আওয়ামী লীগ একা জেতে। যখন হারে, তখন পরাজিত হয় সমস্ত বাংলাদেশ। আর বাংলাদেশ ক্রিকেট টিম যখন হারে, তখন সাকিব আল হাসান বাহিনী একা হারে। যখন জেতে, তখন জেতে পুরোটা বাংলাদেশ।

হেরে গেলে? আরে বাংলাদেশ তো! কত দূর আর পারবে? কিচ্ছু হবে না! না। এই দলকে দিয়েই হবে। এই দেশকে দিয়েই হবে।

জিতলে অবশ্য পুরস্কারের বন্যাও বয়ে যায়। আমাদের যে সবটাতেই বাড়াবাড়ি। হারলে যেমন তিরস্কারের সুনামি আঘাত হানতে থাকে।

আচ্ছা সবাই তো পুরস্কার ঘোষণা করেন। আমিও না হয় একটা করি। আমি হিসাব কষে দেখলাম, আমি কলাম লিখছি ২২ বছর ধরে, আর সংবাদপত্রে লিখছি ২৫ বছর। মানে আমার লেখকজীবনের বয়স সাকিব আল হাসানের বয়সের চেয়েও বেশি। আচ্ছা, বাংলাদেশ যদি কোয়ার্টার ফাইনালে যায়, তাহলে আমি সাকিব আল হাসানসহ নবীন কলামলেখকদের কলাম লেখাবিষয়ক একটা কর্মশালায় বিনে পয়সায় লেকচার দেব! হা হা হা। আমার মনে হয়, সেটা বাড়াবাড়ি হবে না। কারণ, ওই কাজটাই আমি ২২ বছর ধরে করে আসছি। কিন্তু সাকিব আল হাসান যদি এসে বলেন, 'কীভাবে কলাম লিখতে হয়, আপনাকে আমি শেখাব,' আমি নিশ্চয়ই আমোদ পাব, কিন্তু পাত্তা দেব না। তাহলে আমরা কলামলেখকেরা যখন ক্রিকেটারদের, দলের থিম ট্যাংককে শেখাতে চাই ক্রিকেটটা কীভাবে খেলতে হবে, তখন যে সেটা একটা কৌতুক ছাড়া কিছুই নয়, সেটা কি আমরা জানি?

একজন গায়ক নাকি সুরে গান করেন। তিনি একবার বাংলাদেশের একজন ক্রিকেটারকে বলেছিলেন, 'আপনারা তো ভালোই খেলেন, কিন্তু আপনাদের পা চলে না কেন? ফুটওয়ার্ক নেই কেন?'

ক্রিকেটার জবাব দিয়েছিলেন, 'আপনি তো ভালোই গান করেন, কিন্তু মুখ থাকতে নাক দিয়ে গান করেন কেন?'

পাদটীকা: লেখাটা লিখতে পারলাম, কারণ ছয়টার ট্রেন আটটায় পৌঁছাল। ল্যাপটপে সেরে ফেললাম। ট্রেনে বসেই। ডিজিটাল বাংলাদেশের জয় হোক।

০৪-০১-২০১১

ঢাকা আছে খুল না?

ঢাকায় যানজট নিরসনের লক্ষ্যে যোগাযোগ মন্ত্রণালয় কতগুলো সিদ্ধান্ত গ্রহণ করে সংশ্লিষ্ট কর্তৃপক্ষের কাছে পাঠিয়ে দিয়েছে। এই প্রস্তাবগুলো এখন বাস্তবায়নের অপেক্ষায় আছে।

প্রস্তাবগুলোর মধ্যে আছে:

১. চারজনের চেয়ে কম যাত্রী নিয়ে কোনো প্রাইভেটকার রাস্তায় চলতে দেওয়া হবে না।

এটি অত্যন্ত উত্তম প্রস্তাব। এই প্রস্তাব বাস্তবায়িত হলে বাংলাদেশে আর কেউ বেকার থাকবে না। কারণ তখন বড়লোক গাড়িওয়ালারা রাস্তার টোকাই থেকে শুরু করে বেকার লোকজনকে একটা নতুন পেশায় নিয়োগ করবে। এই পেশার নাম হবে: প্যাসেঞ্জারগিরি। এই পেশাজীবীদের আমরা 'পেশাদার যাত্রী' বলে অভিহিত করতে পারব।

এই পেশাজীবীদের কাজ হবে পারিশ্রমিকের বিনিময়ে গাড়ির যাত্রী হিসেবে এক স্থান থেকে আরেক স্থানে যাওয়া।

ধরা যাক, আবদুল করিমের একটা গাড়ি আছে। তিনি থাকেন লালমাটিয়ায়। তাঁর মেয়ে মতিঝিল গার্লস স্কুলে পড়ে। চালক এই মেয়েকে সকালবেলা স্কুলে নিয়ে যায় ও দুপুরে স্কুল থেকে নিয়ে আসে। এখন যেহেতু চারজনের কমে যাত্রী নিয়ে গাড়ি চলতে পারবে না, আর আবদুল করিম সাহেব ও তাঁর স্ত্রী উভয়েই কর্মজীবী, তাই তাঁদের গাড়িতে মেয়ে ছাড়াও আরও দুজন যাত্রী তুলতে হবে। এই দুজন যাত্রী হিসেবে দুজন টোকাইকে তাঁরা ভাড়া করবেন। টোকাই দুজন টাকার বিনিময়ে লালমাটিয়া থেকে মতিঝিল বালিকা বিদ্যালয়ে যাবে-আসবে।

এর মধ্যে যদি এমন হয় যে আবদুল করিম সাহেব সকালে মেয়ের সঙ্গে একই গাড়িতে মতিঝিলে তাঁর অফিসে যান, তাহলে হিসাবটা বেশ মুশকিল হবে। সকালবেলা লালমাটিয়ার বাড়িতে প্যাসেঞ্জার টোকাই আসবে একজন। আবদুল করিম, তাঁর চালক, তাঁর মেয়ে আর পেশাদার প্যাসেঞ্জার–মোট চারজন যাত্রী নিয়ে গাড়ি বাসা থেকে বের হবে। মেয়েকে স্কুলে নামানোর ফলে তাঁদের

গাড়ির যাত্রীসংখ্যা একজন কমে যাবে। তখন ওই স্কুলের সামনে দাঁড়িয়ে থাকা রেজিস্টার্ড প্যাসেঞ্জারদের মধ্য থেকে কাউকে তাঁরা তখন গাড়িতে তুলে নেবেন। করিম সাহেবকে মতিঝিলে তাঁর অফিসে নামিয়ে দেওয়ার পর আরও একজন পেশাদার যাত্রীকে চালক গাড়িতে তুলবে। তারপর গাড়ি আসবে স্কুলে। স্কুলে এসে আবার একজন পেশাদার যাত্রীকে নামিয়ে দিয়ে মেয়েকে তোলা হবে। তারপর গাড়ি যাবে লালমাটিয়ায়। সেখানে মেয়েকে নামিয়ে গাড়ি যাবে ফের মতিঝিল। কারণ সাহেবকে তুলতে হবে। এ সময় তিনজন ভাড়াটে যাত্রী দরকার হবে। মতিঝিলে গিয়ে একজন যাত্রীকে নামিয়ে দিয়ে বাকি দুজন ও সাহেবকে সঙ্গে নিয়ে চালক বাড়ি ফিরবে।

এই পেশাদার যাত্রীদের মজুরি কী হবে, সেটা জাতীয় মজুরি কমিশন ঠিক করতে পারে। আর তারা যে গাড়ি ও গাড়ির মালিক আর তাঁর মেয়ের জন্য নিরাপদ হবে, সেটা নিশ্চিত করার জন্য এক বা একাধিক প্রতিষ্ঠান গড়ে উঠতে পারে। তারা এই যাত্রীদের প্রয়োজনীয় প্রশিক্ষণ ও পোশাক দেবে এবং তাদের জন্য পুলিশ ভেরিফিকেশন সনদ জোগাড় করবে। হাজার হোক, যাকে-তাকে তো আর আপনি আপনার গাড়িতে আপনার পাশে বসাতে পারেন না।

এই পেশাদার যাত্রীরা ট্রেড ইউনিয়ন করতে পারবে কি পারবে না, সেটা পরের বিবেচ্য। তবে তারা যে তাদের মজুরি বাড়ানোর দাবিতে ধর্মঘট করবে এবং মাঝেমধ্যে গাড়ি ভাঙচুরও করবে তাতে কোনো সন্দেহ নেই। এই পেশাদার যাত্রীদের দাবি-দাওয়া গাড়িওয়ালারা মেনে নিতে বাধ্যই থাকবেন। নইলে আপনি এয়ারপোর্টে আপনার স্বজনকে নামিয়ে দিয়ে খালি গাড়ি নিয়ে বাড়ি ফিরতে পারবেন না। কারণ গাড়ির যাত্রী আপনি একা। চারজন আরোহী গাড়িতে না থাকলে ঢাকার রাস্তায় যে গাড়ি চলতে পারবে না।

প্রস্তাব-২

ঢাকা শহরের রাস্তায় এক দিন জোড় নম্বরের গাড়ি, এক দিন বিজোড় নম্বরের গাড়ি চলতে পারবে।

ঢাকার বড়লোকেরা এ সমস্যারও সমাধান বের করে ফেলতে পারবেন বলে আশা করা যায়। তাঁরা দুটো গাড়ি রাখবেন। একটার নম্বর হবে জোড় আরেকটার বিজোড়। ফলে তাঁরা এক দিন এই গাড়ি, আরেক দিন ওই গাড়ি চালাবেন।

তবে মাঝেমধ্যে মুশকিল হবে। ধরুন, আপনি রাত ১১টায় একটা জোড় নম্বরের গাড়ি নিয়ে জরুরি কাজে বেরিয়েছেন। কাজ সেরে ফিরতে ফিরতে রাত একটা। এর মধ্যে দিন গেছে পাল্টে। আপনি আর আগের গাড়ি নিয়ে ফিরতে পারবেন না। কারণ পর পর দুই দিন একই নম্বরপ্লেটের গাড়ি নিয়ে ঢাকার রাস্তায়

পথচলার নিয়ম নেই। তখন আপনি ওই গাড়িটা কোথাও ফেলে রেখে পাবলিক ট্রান্সপোর্ট বা গণপরিবহনব্যবস্থার সাহায্য নেবেন। (চালাক বাঙালি গাড়ি না বদলে নম্বরপ্লেট দুটো ব্যবহার করার দুই নম্বরি বুদ্ধি বের করে ফেলতে পারে)।

যাঁরা এসব সিদ্ধান্ত গ্রহণ করেছেন, তাঁরা সবাই বিশেষজ্ঞ। আমি তাঁদের অভিনন্দন জানাই। বিদেশে এ ধরনের নিয়মকানুন আছে। যেমন, যুক্তরাষ্ট্রে আছে যে একজনের বেশি যাত্রী থাকলে সেই গাড়িকে ফাস্ট ট্র্যাক দিয়ে চলতে দেওয়া হয়। আমাদের দেশে ফাস্ট ট্র্যাকই বা কই, স্লো ট্র্যাকই বা কই!

জোড়-বিজোড় নম্বরপ্লেটের গাড়ি চলাচলের নিয়মও কোনো কোনো দেশে থেকে থাকতে পারে। কিন্তু সবার আগে দরকার গণপরিবহনব্যবস্থা। সেটা কি ঢাকা শহরে আছে?

ঢাকা থেকে যানজট নিরসনের জন্য আশুকরণীয় পদক্ষেপ কী হতে পারে? 'জুতা আবিষ্কার' কবিতার চর্মকারের মতো আমি কিছু নিবেদন করি:

১. ফুটপাতগুলো মানুষের চলাচলের উপযোগী করা। ফুটপাত থেকে দোকানপাট, হকার সরিয়ে দেওয়া। নির্মাণসামগ্রী ইত্যাদি থেকে ফুটপাত বা রাস্তা দখলমুক্ত করা। ফুটপাতের মানুষ ফুটপাতে চলতে পারে না বলে রাস্তায় নামতে বাধ্য হয় এবং বহু রাস্তা অচল করে রাখে।

২. যেখানে-সেখানে গাড়ি পার্কিং করতে না দেওয়া। আমাদের রাস্তাগুলো অবৈধ পার্কিংয়ের কারণেই অনেক জায়গায় অচল হয়ে থাকে।

৩. বহুসংখ্যক ফুটওভারব্রিজ ক্রাশ প্রোগ্রাম হাতে নিয়ে ঢাকা শহরের সর্বত্র নির্মাণ করে দেওয়া। হোটেল সোনারগাঁওয়ের মোড়টা অচল করে রাখে অনেকটাই মানুষের ক্রমাগত রাস্তা পারাপার।

৪. নতুন গাড়ি রাস্তায় নামানো নিরুৎসাহিত করা। অধিক পুরোনো গাড়িগুলো তুলে নেওয়া।

দীর্ঘমেয়াদি পদক্ষেপ:

১. ঢাকা শহরসহ পুরো বাংলাদেশে যোগাযোগব্যবস্থা সড়কনির্ভর না করে রেলনির্ভর করে গড়ে তোলা। রাস্তা ও গাড়ির সংখ্যাবিষয়ক একটা সূত্র আছে: 'তোমরা যত পরিমাণেই রাস্তা বাড়াও না কেন, গাড়ির সংখ্যা সব সময়ই রাস্তার ধারণক্ষমতার চেয়ে বেশি হবে।' কাজেই রেলযোগাযোগই একমাত্র সমাধান। মহানগরের জন্য মেট্রোরেলব্যবস্থা দরকার হবেই। ঢাকা-চট্টগ্রাম যোগাযোগ কেন দ্রুত ও সংক্ষেপিত রেলপথের মাধ্যমে করা হবে না?

২. ঢাকা থেকে মানুষ সরানো। বিকেন্দ্রীকরণ। পোশাকশিল্প কারখানাগুলো ঢাকার বাইরে সরিয়ে নেওয়া হলে অন্তত ৩০ লাখ লোকের ভার কমবে। ঢাকার বাইরে পরিকল্পিত চিকিৎসাশহর, শিক্ষাশহর, বাণিজ্যনগর, আইটিনগর ইত্যাদি গড়ে তোলা।

৩. ঢাকার মোড়ে মোড়ে ছোট ছোট উড়ালসেতু বানিয়ে মোড়গুলো বিরতিহীনভাবে সচল রাখা।

৪. আজ হোক কাল হোক রিকশা তুলে দিতেই হবে এ শহর থেকে। মানুষ একটু হাঁটুক। তাতে স্বাস্থ্য খাতেও ব্যয় কমবে, আর অন্তত ৩০ লাখ মানুষের চাপ থেকে শহরটা বাঁচবে। কিন্তু তাদের বিকল্প পেশা কী হবে, সেটা আমার ঠিক জানা নেই। কিন্তু ব্যবস্থা একটা করতেই হবে।

যা-ই হোক, গদ্যকার্টুন গুরুগম্ভীর তত্ত্বালোচনার জন্য নয়। এটা হালকা কৌতুক পরিবেশনের জন্য। এবার একটা গল্প বলি (অবশ্যই পুরোনো আর এই কলামে অন্তত তিনবার পরিবেশিত)। রাজার প্রাতঃরাশের থালায় মাছি পড়েছে। রাজা বললেন, 'আজ আমি কার মুখ দেখে উঠেছি। তার গর্দান নেব। রানির মুখ? ও তো রোজ দেখি। প্রহরীদের মুখ? তাও তো নতুন নয়। আজকে প্রাতঃভ্রমণে গিয়ে একটা চাষির মুখ দেখেছিলাম। তাকে ধরে আনো আর শূলে চড়াও।' চাষিকে ধরে আনা হলো। চাষি তখন রাজাকে বলল, 'মহারাজ, আপনি আমার মুখ দেখেছিলেন বলে আপনার পাতে মাছি পড়েছে। আর আমি আপনার মুখ দেখেছিলাম বলে আজ আমার প্রাণ যাচ্ছে। তাহলে কে বেশি অপয়া?'

ঢাকার যানজটের আরেকটা কারণ হলো ভিভিআইপিদের রাস্তা বন্ধ করে চলাচল। তাঁরা একবার যে পথ দিয়ে যান, তার আগে-পরে দুই ঘণ্টা সেই পথে সবকিছু থমকে থাকে। একই ঘটনা ঘটান জনসভাওয়ালারা। তাঁরা যখন একটা রাস্তা বন্ধ করে সভা করেন, তার ধকল পড়ে পুরো ঢাকার ওপর। এখন বলুন, কারা বেশি অপয়া? ওই রিকশাওয়ালা বা পোশাক শ্রমিকেরা, নাকি ভিভিআইপিরা।

ছোটবেলায় একটা মজার ধাঁধা শুনতাম। 'ঢাকা আছে খুল না! খুললে কি পাব না?' এই বাক্য দুটোতে দেশের তিনটা জেলার কথা আছে। বলো। উত্তরঃ ঢাকা, খুলনা আর পাবনা। আজকে যানজট নিয়ে লিখতে বসে মনে আসছে, ঢাকার যানজটটা খোলার কথা ভাবতে গিয়ে আমরা কি পাবনা যেতে বসেছি?

১৮-০১-২০১১

আমরা কি ব্যাঙের ভূমিকা নিতে যাচ্ছি?

স্বর্ণকেশী বা স্বর্ণকেশিনীদের নিয়ে অনেক কৌতুক পশ্চিমে প্রচলিত আছে। এসব কৌতুকের একটাই বিষয়, প্রমাণ করার চেষ্টা যে, এদের মাথায় বুদ্ধি কম।

যেমন একজন স্বর্ণকেশিনী ইলেকট্রনিকসের দোকানে ঢুকে বলল, ওই টেলিভিশনটার দাম কত?

দোকানি উত্তর দিল, আমরা স্বর্ণকেশিনীর কাছে জিনিস বেচি না।

স্বর্ণকেশিনী দোকান থেকে বেরিয়ে সোজা গেল একটা বিউটি পারলারে। নিজের চুলের রং কালো কুচকুচে করল। চেহারারও পরিবর্তন ঘটাল। এমনকি পোশাকও পাল্টে ফেলল। না, এবার তাকে চেনাই যাচ্ছে না। সে ফিরে এল সেই দোকানে। বলল, ওই টেলিভিশনটার দাম কত?

দোকানি নির্বিকার ভঙ্গিতে বলল, আমরা কোনো স্বর্ণকেশিনীর কাছে জিনিস বেচি না।

স্বর্ণকেশিনী বিস্মিত। দোকানি বুঝল কী করে যে সে স্বর্ণকেশিনী! সে আবার বাইরে গেল। এবার সে এল একটা বোরকা পরে। গলার স্বর বদলে সে বলল, এই টেলিভিশনটার দাম কত?

দোকানির একটাই জবাব, স্বর্ণকেশিনীর কাছে আমরা কোনো কিছু বিক্রি করি না।

মেয়েটি তার মুখের ঢাকনা সরিয়ে বলল, আচ্ছা, বলুন তো, আপনি কী করে বুঝছেন যে আমি একজন সোনালি চুলের মেয়ে?

দোকানি অন্যমনস্কভাবে জবাব দিল, একমাত্র স্বর্ণকেশিনীরাই মাইক্রোওয়েভ ওভেনকে টেলিভিশন বলে থাকে।

একজন স্বর্ণকেশিনী গাড়ি চালাচ্ছে। তার গাড়ি গিয়ে ধাক্কা দিল একটা ট্রাককে। ট্রাকচালক খুব খেপে গেল।

ট্রাক থেকে নেমে সে স্বর্ণকেশিনীকে বলল, গাড়ি থেকে নামুন।

স্বর্ণকেশিনী এই আজ্ঞা পালন করল।

ট্রাকচালক চক দিয়ে একটা বৃত্ত আঁকল রাস্তায়। তারপর সোনালিচুলোকে বলল, তুমি এই বৃত্তের মধ্যে থাকবে। একদম নড়তে পারবে না।

তারপর ক্ষিপ্ত ট্রাকচালক মেয়েটির গাড়ির সামনের কাচ দিল ভেঙে।

মেয়েটি খিলখিল করে হাসতে লাগল।

ট্রাকচালক মেয়েটির গাড়ির পেছনের কাচ ভেঙে দিল। মেয়েটি হেসে উঠল আবারও। বিস্মিত ট্রাকচালক বলল, আপনি হাসছেন কেন?

স্বর্ণকেশিনী জবাব দিল, আপনি যখন আমার গাড়ির দিকে তাকিয়ে আছেন, এই ফাঁকে আমি আপনার আঁকা বৃত্ত থেকে দুবার বাইরে বেরিয়েছিলাম। আপনি টেরও পাননি।

সম্মানিত পাঠক, নিশ্চয়ই বুঝতে পারছেন, ব্লন্ড বা সোনালিচুলোদের বোকামি নিয়ে কী রকম নিষ্ঠুর রসিকতাই না চালু আছে।

একবার একটা রেস্তোরাঁয় একজন দৃষ্টিপ্রতিবন্ধী ঘোষণা করল, আমি কি স্বর্ণকেশিনীদের নিয়ে একটা কৌতুক বলতে পারি।

তখন রেস্তোরাঁর একজন বেয়ারা বলল, শোনো। কৌতুকটা বলার আগে তোমার একটা তথ্য জানা উচিত। আমি এই রেস্তোরাঁর বেয়ারা, আমার চুল সোনালি, আমি একজন মুষ্টিযোদ্ধা, আমার ম্যানেজার তিনিও সোনালিচুলো, তিনি একজন কুস্তিগীর, আর দুজন খদ্দের উপস্থিত আছেন এখানে, এঁরা দুজনও সোনালি চুলের, একজন হকি খেলোয়াড়, তাঁর হকিস্টিকটা তাঁর হাতে আছে, আরেকজন শ্যুটার, তাঁর হাতে আছে পিস্তল। এবার তুমি চিন্তা করে দেখো, তুমি এখানে ব্লন্ড জোকস বলবে কি না।

দৃষ্টিপ্রতিবন্ধী খদ্দেরটি তখন বলল, না, আমি কোনো কৌতুকই বলব না। আমার পক্ষে একই কৌতুক পাঁচবার পাঁচজনকে বুঝিয়ে বলা সম্ভব নয়।

আমি এতক্ষণ ধরে যে ভূমিকাটি পাড়ছি, তা-ও এই কথা বলার জন্য যে, আমি এই কলামে নানা কৌতুক পরিবেশন করে থাকি কোনো বিষয়ে আমার কোনো বক্তব্য থাকলে তা গল্পের ছলে পেশ করার জন্য। আশা করি, আমার পাঠকেরা স্বর্ণকেশী বা স্বর্ণকেশিনী নন।

এইবার যে একটিমাত্র কৌতুক বলার জন্য আমি এত বড় ভূমিকা পাড়লাম, সেটা বলি।

একটা পানশালা। একজন খদ্দের এল সেই রেস্তোরাঁয়। বেয়ারাকে বলল, তোমাকে একটা জাদু দেখাব। যদি তোমার ভালো লাগে, আমাকে একটা পানীয় দিয়ো বিনি পয়সায়।

আচ্ছা, আগে জাদুটা দেখি।

খদ্দেরটি তার পকেট থেকে একটা ছোট্ট ইঁদুর বের করল। আরেক পকেট থেকে বের করল একটা ছোট আকারের পিয়ানো। ইঁদুরটিকে সে পিয়ানোর

ওপরে ছেড়ে দিল। ইঁদুরটি পিয়ানোর কি-বোর্ডের ওপরে লাফিয়ে লাফিয়ে একটা গান বাজাতে লাগল।

বেয়ারা বলল, ঠিক আছে, আমি আপনাকে এক গেলাস পানীয় বিনি পয়সায় দিচ্ছি।

সেই গেলাস খালি করে খদ্দের বলল, আমি আরেকটা জাদু দেখাই। এটা ভালো লাগলে তুমি আমাকে আরেক গেলাস পানীয় দিয়ো।

আচ্ছা, দেখান।

এবার ওই ইঁদুর আর পিয়ানোর সঙ্গে খদ্দেরটি বের করল একটা ছোট্ট ব্যাঙ। ইঁদুর পিয়ানো বাজানো শুরু করল, আর তার সঙ্গে ব্যাঙটি গান গাইতে শুরু করল।

এর মধ্যে আরেকজন খদ্দের ব্যাপারটা লক্ষ করে এগিয়ে এল। সে বলল, আপনি আপনার এই ইঁদুরটাকে বিক্রি করবেন?

জাদুকর বলল, না। ওটা বিক্রির জন্য নয়।

তাহলে ব্যাঙটাকে বিক্রি করবেন?

হ্যাঁ, যদি ভালো দাম পাওয়া যায়।

এক লাখ টাকা?

না, এত কম দামে বিক্রি করব না।

পাঁচ লাখ টাকা?

না, হবে না।

১০ লাখ?

আচ্ছা নিন।

১০ লাখ টাকা নগদ গুনে নিয়ে জাদুকর ব্যাঙটা তুলে দিল ক্রেতার হাতে। ক্রেতা চলে গেলে বেয়ারা বলল, এত সস্তায় কেন এ রকম একটা ব্যাঙ বিক্রি করে দিলেন। এটা এক কোটি টাকায় কেনার লোকও এই শহরে ছিল।

জাদুকর বলল, আরে ভাই, আসলে গান করে ইঁদুরটি। ওই ব্যাঙটা শুধু হাঁ করে শ্বাস নেয়। তাই মনে হয় ব্যাঙটা গান গাইছে।

ইঁদুরটা গান গাইছে, এটা বোঝা যায় না তো।

ইঁদুরটা হলো ভেন্ট্রিলকিস্ট। এর মানে হচ্ছে, ইঁদুরটা ঠোঁট না নড়িয়ে কথা বলতে পারে। তাই সে যখন গান করে, মনে হয়, পাশের কেউ গান করছে।

বিশ্বকাপ ক্রিকেট উপলক্ষে বাংলাদেশে ঢাকায় ও চট্টগ্রামে উদ্বোধনী অনুষ্ঠানের বাইরে একাধিক সাংস্কৃতিক অনুষ্ঠান হবে বলে শুনছি। সেখানে নাকি মুম্বাই থেকে বলিউডের তারকারা এসে নাচগান করবেন। আমাদের ভূমিকা কী হবে? আমরা কি ব্যাঙের মতো বলিউডি তারকাদের গানের সঙ্গে মুখ নাড়ব।

ওই ব্যাঙের যে কোনো দাম নাই, এই কথা কিন্তু একজন ব্লন্ডও বুঝবে। আমাদের কর্তাব্যক্তিদের বুদ্ধি-বিবেচনা আশা করি তার চেয়ে বেশি। বাংলাদেশের শিল্পীদের কি শ্রীলঙ্কায় আর ভারতে গিয়ে সাংস্কৃতিক অনুষ্ঠানে অংশ নিতে দেওয়া হবে?

পৃথিবীর উন্নত দেশগুলো অলিম্পিক গেমস বা বিশ্বকাপের স্বাগতিক দেশ হওয়ার জন্য কী প্রাণান্ত চেষ্টাই না করে থাকে। কারণ, এ ধরনের আয়োজন সেই দেশের ভাবমূর্তি উজ্জ্বল করে, অর্থনীতির চেহারা পাল্টে দেয়। সারা পৃথিবীর কাছে নিজেদের শ্রেষ্ঠ নিদর্শনগুলো তুলে ধরার এই সুযোগ কেউই ছাড়তে চায় না। ক্রিকেট বিশ্বকাপের উদ্বোধনী অনুষ্ঠানের আয়োজক দেশ আর বিশ্বকাপের অন্যতম স্বাগতিক দেশ হওয়ার এই বিরল সুযোগটা পেয়ে আমরা কি একটা ব্যাঙের ভূমিকা নিতে যাচ্ছি?

০১-০২-২০১১

অফিসে আসলে আমরা কী করি

অফিসে লোক নিয়োগ দেওয়া হয়েছে প্রচুর; কার্পেট থেকে শুরু করে কম্পিউটার, জিনিসপাতি, রসদপত্র কম কেনা হয়নি; বিশেষজ্ঞ উপদেষ্টা নিয়োজিত আছেন, তার পরও দেখা যাচ্ছে, অফিসের কর্মদক্ষতা কমে গেছে। কারণ কী? কারণ কর্মচারী ও কর্মকর্তারা অফিসে আসেন ঠিকই, কিন্তু কাজের কাজ করেন না। তাহলে ওই সময়ে তাঁরা করেনটা কী? এটা জানার জন্য মানবসম্পদ বা হিউম্যান রিসোর্স বিভাগ থেকে একটা জরিপপত্র পাঠানো হলো প্রত্যেক কর্মকর্তা-কর্মচারীর কাছে। জরিপপত্রটি নিম্নরূপ:

জরিপপত্র

অফিস সময়ে আপনি কী করেন? সঠিক উত্তরের পাশে টিক দিন। একাধিক ঘরে টিক দেওয়া যেতে পারে। বরং সেটাকেই আমরা উৎসাহিত করছি।

অ. নিষ্ফল মিটিং করা

আ. মিটিংয়ের মধ্যে আলোচনায় বিঘ্ন ঘটানো

ই. মিটিংয়ের সময় নিজেকে জ্ঞানী প্রমাণের চেষ্টা করা

ঈ. বিরতির জন্য অপেক্ষা করা

উ. মিটিংয়ের সময় চায়ের জন্য অপেক্ষা করা

ঊ. মিটিংয়ে অনুপস্থিত সহকর্মীর দোষত্রুটি বিস্তারিত তুলে ধরা

ঋ. সহকর্মী-বন্ধুর দোষত্রুটি ঢাকার চেষ্টা করা

এ. আপনার মতো বুদ্ধিমান নয়, এমন সহকর্মীকে কিছু বোঝানোর চেষ্টা করা

ঐ. আপনাকে মোটেও পছন্দ করেন না, এমন সহকর্মীর সঙ্গে সম্পর্ক উন্নয়নের চেষ্টা করা

ও. নাশতা কিনে আনতে দেওয়া

ঔ. নাশতার জন্য অপেক্ষা করা ও নাশতা খাওয়া

ক. কিছু ঘটার পর আপনি প্রতিক্রিয়া দেখাবেন, এমন পরিস্থিতির জন্য অপেক্ষা করা

খ. চুলকানি অনুভব করা

গ. চুলকানো

ঘ. ঘুম-ঘুম অনুভব করা

ঙ. ঘুমানো

চ. চাকরিটা যে কত বিরক্তিকর, তা নিয়ে অনুযোগ করা

ছ. কম বেতন নিয়ে অনুযোগ করা

জ. কাজের চাপ নিয়ে অনুযোগ করা

ঝ. ঊর্ধ্বতন কর্মকর্তাকে নিয়ে অনুযোগ করা

ঞ. ব্যক্তিগত সমস্যা নিয়ে অনুযোগ করা

ট. দুই দিন ধরে সর্দি-কাশিতে ভোগা

ঠ. অফিসের স্টেপলার, কাগজ ইত্যাদি নিজের ব্যাগে ভরে ফেলা

ড. অফিসের প্রিন্টারটি নষ্ট করে ফেলার পর সাফাই দেওয়া

ঢ. অফিস থেকে ফোন করে বাড়ির গৃহকর্মীকে কাজ বুঝিয়ে দেওয়া

ণ. অফিসের ফোন থেকে বন্ধুর স্ত্রীর খোঁজখবর নেওয়া

ত. অফিসের ফোন ও কম্পিউটার ব্যবহার করে সন্তানের জন্মদিনের পরিকল্পনা তৈরি করা

থ. অফিসের কম্পিউটার ও প্রিন্টার ব্যবহার করে সন্তানের স্কুলের কাজ করে দেওয়া

দ. অফিসের ইন্টারনেট সংযোগ ব্যবহার করে ক্যারিয়ার-বিষয়ক ওয়েবসাইট দেখা ও নতুন করে সিভি তৈরি করা

ধ. নানা জায়গায় সিভি পাঠানো

ন. অফিসের সময়ে অন্য জায়গায় চাকরির সাক্ষাৎকার দিতে যাওয়া

প. ঊর্ধ্বতন কর্মকর্তার সামনে কাজের ভান করা

ফ. কাজটা দারুণ উপভোগ করছেন এমন ভান করা

ব. অফিসে বসে বই, চিত্রনাট্য, গান লেখা ইত্যাদি সৃজনশীল কাজ করা

ভ. জানালা দিয়ে ট্রাফিক জ্যাম দেখা এবং এর ভয়াবহতা সম্পর্কে ৪০ মিনিটের বক্তব্য দেওয়া

ম. কম্পিউটার দ্রুত কাজ করছে না বলে যেকোনো কাজে তিন গুণ সময় লাগানো

য. ঘণ্টায় দুবার ওয়াশরুমটা ঘুরে আসা

র. বাথরুমে টয়লেট পেপার নেই কেন, তার কারণ অনুসন্ধানের চেষ্টা

ল. অফিসের ফোন ব্যবহার করে ব্যক্তিগত চিকিৎসকের সঙ্গে আলাপ করা

শ. অফিসের ফোন ব্যবহার করে রূপবিশেষজ্ঞের পরামর্শ নেওয়া

ষ. অফিসের ফোন ব্যবহার করে বাড়ির রংমিস্ত্রিকে কাজ বুঝিয়ে দেওয়া

স. অফিসের ফোন ব্যবহার করে বাড়িতে পানি নেই, সেই সমস্যার সমাধান করার চেষ্টা

হ. ফেসবুক বন্ধ কেন, তা নিয়ে অনুযোগ করা

ক্ষ. ফেসবুকের অভাবে টুইটার, মাইস্পেসে অ্যাকাউন্ট খোলা

ড়. ই-মেইল পড়া

ঢ়. ই-মেইল পড়তে পড়তে হাসা

য়. ই-মেইলের মোক্ষম জবাব ভাবা

ৎ. ই-মেইলের জবাব লেখা

ং. ই-মেইল পাঠানো

ঃ. অফিসের ফোন ব্যবহার করে প্রেমালাপ চালিয়ে যাওয়া

ঁ. ইন্টারনেটে চ্যাট করা

অঅ. অফিসে কোট ঝুলিয়ে রেখে অফিসের কাজের অজুহাতে বাইরে চলে যাওয়া

আআ. অফিসে বসে বাইরের অফিসের জন্য কনসালট্যান্সি করা

ইই. বসে বসে গদ্যকার্টুন পড়া।

প্রিয় পাঠক, আপনি এই লেখাটা পড়েছেন? আপনি কি লেখাটা কোনো অফিসে বসে পড়ছেন? তাহলে আপনি আমাদের অভিনন্দন গ্রহণ করুন। আপনার উত্তর যদি হ্যাঁ সূচক হয়, তাহলে এবার আমরা আসব বিদ্যালয়পর্যায়ে প্রবর্তিত সৃজনশীল প্রশ্নের কায়দায়। ওপরের অংশটা পড়ে আপনি নিজেই একই ধরনের একটি জরিপপত্র তৈরি করুন। আপনার জরিপপত্রের বিষয় হবে, আমাদের জাতীয় সংসদ অধিবেশনের সংসদ সদস্যদের পারফরম্যান্স। সংসদ অধিবেশন চলাকালে একজন মাননীয় সংসদ সদস্য কী করে থাকেন? তিনি কি মনোযোগ দিয়ে বক্তার কথা শ্রবণ করেন এবং প্রয়োজনীয় প্রতিক্রিয়া ব্যক্ত করেন? তিনি কি নিজের দলের বক্তার বক্তৃতার সময় টেবিল চাপড়ে অভিনন্দন জানান, নাকি হঠাৎ করতালি ও ফাইল তালির শব্দ শুনে চমকে ওঠেন?

জাতীয় সংসদ অধিবেশনে বিরোধী দল কেন অনুপস্থিত থাকে, কেন তারা অনেক দিন পর এক দিনের জন্য হাজির হয়, এই বিষয়ে নিজের ভাষায় দুটো অনুচ্ছেদ লিখে ফেলুন। লিখেছেন? আপনার সময় ভালোই কেটেছে। এবার আপনার অফিস সময় শেষ হলো। আপনি এবার বাড়ি যেতে পারেন। অবশ্যই আধঘণ্টা আগেই আপনাকে বেরোতে হবে। কারণ আজকাল রাস্তাঘাটের যা অবস্থা!

আমার আজকের গদ্যকার্টুন এখানেই সমাপ্ত। বলা বাহুল্য, এই রচনাটি ইন্টারনেট অবলম্বনে রচিত। তবে একটা কৌতুক না বলে লেখাটা শেষ করছি না।

বস বললেন, আপনি অফিসে দেরি করে আসেন কেন?

'স্যার, ঘুম থেকে উঠতে দেরি হয়ে গেছে।'

'সেকি! আপনি বাড়িতেও ঘুমান নাকি?'

০১-১০-২০১১

একজন ভালো ছেলে

আমার প্রথম টেলিভিশন নাটক লেখার গল্পটা আপনাদের বলি।

মেরিনা বলল, তুমি টেলিভিশন নাটক লিখতে পারবা? আমি বললাম, কেন পারব না।

লেখো তো।

১৯৯৪-৯৫ সালের কথা। আমাদের তখন নতুন সংসার। আমি স্ত্রীবাধ্য গৃহপালিত ছেলে।

সন্ধ্যা ছয়টায় বসলাম। রাত ১২টায় একটা নাটক লেখা হয়ে গেল। নাটকের নাম *একজন ভালো ছেলে।*

নাটক লেখা সহজ। হাতে কাগজ-কলম থাকলেই লেখা যায়। নাটক চিত্রায়িত হওয়া ও অন এয়ার করা খুবই কঠিন। কত কঠিন, তা আমার জানা ছিল না।

আমি তখন *ভোরের কাগজ*-এর সহকারী সম্পাদক। নিয়মিত কলাম লিখি। আসাদুজ্জামান নূর *ভোরের কাগজ*-এ বেড়াতে এলেন। নীলফামারীর মানুষ। আমি তাঁর হাতে নাটকটার পাণ্ডুলিপি দিলাম। যদি কোনো হিল্লে হয়।

রিয়াজ উদ্দীন বাদশা আর আমি কিছুদিন একই বাড়ির দুই ফ্ল্যাটে পাশাপাশি বসবাস করতাম ভাড়াটে হিসেবে। সেই সূত্রে তাঁকে একটা কপি দিলাম। যদি কোনো গতি হয়।

আফজাল হোসেন আমার লেখা কলাম খুব পছন্দ করেন। তিনি আমাকে ফোন করে বললেন, 'আনিস, আপনি গল্প লিখুন। উপন্যাস লিখুন। নাটক লিখুন। আপনার হবে।' তিনি আমার কাছে নাটকের পাণ্ডুলিপি চাইলেন। আমি *একজন ভালো ছেলের* পাণ্ডুলিপি তাঁকে দিলাম।

কিন্তু নাটক আর হয় না। কেউ শুটিং করে না। তখন বিটিভির আমল। এ ছাড়া আর কোনো টেলিভিশন কেন্দ্র বাংলাদেশে নাই।

এর মধ্যে বাংলাদেশ টেলিভিশনের প্রযোজক খ ম হারুণ আমার কলাম পড়ে আমার কাছ থেকে নাটকের পাণ্ডুলিপি চাইলেন। আমি তাঁকে দুটো নাটক

লিখে দিই, *আগামীকালের রূপকথা* আর *অবাক বইপাঠ*। দুটোই নাটক হয়। আফজাল হোসেন আমার কাছ থেকে *পারাপার* নামের একটা নাটকের পাণ্ডুলিপি নেন। ওই সময়ে আমাকে ৩৫ হাজার টাকা দিয়েছিলেন সেই নাটকের পাণ্ডুলিপির জন্য। কিন্তু নাটক আর নির্মিত হয়নি।

এরপর সাইদুল আনাম টুটুল আমার কাছ থেকে স্বল্পদৈর্ঘ্য চলচ্চিত্রের জন্য পাণ্ডুলিপি চান। আমি তাঁকে লিখে দিই *নাল পিরান*। *নাল পিরান* তিনি অনেক যত্ন করে নির্মাণ করেন রংপুরে গিয়ে। এটা একুশে টিভিতে প্রচারিত হলে প্রশংসিত হয়।

একুশে টিভির অনুষ্ঠান প্রধান নওয়াজীশ আলী খান আমাকে ফোন করে বলেন, একুশে টিভির প্রতিষ্ঠাবার্ষিকীর জন্য আমি কি একটা নাটক লিখে দেব? আমি তাঁকে তখন আমার জীবনের প্রথম লেখা নাটক *একজন ভালো ছেলে* পাঠিয়ে দিই।

নাটকটা পরিচালনা করবেন আহীর আলম। আমাকে সম্মানীর চেক দিয়ে দেওয়া হয়। কথা ছিল, ২০০১ সালের ১৪ সেপ্টেম্বর নাটকটার শুটিং হবে। ১১ সেপ্টেম্বর যেদিন আমেরিকায় টুইন টাওয়ার ধ্বংস হয়, সেদিন সড়ক দুর্ঘটনায় আহীর আলম মারা যান। আমার সেই নাটকের শুটিং আবার পিছিয়ে যায়। অবশেষে জোবায়ের বাবুকে দায়িত্ব দেওয়া হয়। তিনি 'আলো-অন্ধকারে যাই' নাম দিয়ে নাটকটি নির্মাণ করেন।

আমার প্রথম লেখা নাটকটি লিখিত হওয়ার সাত বছর পরে নির্মিত ও প্রচারিত হয়।

আজকে যাঁরা প্রথম নাটক লিখছেন, তাঁদের বলি, ধৈর্য ধরতে জানতে হবে। লেখা সহজ, প্রচার করা কঠিন। স্যামুয়েল বেকেটের প্রথম বইটি প্রকাশকেরা ৪২ বার প্রত্যাখ্যান করেছিল প্রকাশ করতে।

স্যামুয়েল বেকেট একদিন নোবেল পুরস্কার পেয়েছিলেন। সেটা তাঁর সাহিত্যকীর্তির জন্য, কিন্তু ধৈর্য ধরার জন্য কোনো নোবেল থাকলে সেটাও তিনি পেতে পারতেন।

১০/১১/২০১১

গৃহপালিত এক নদী

আমার একটা নদী ছিল। গৃহপালিত নদী। আমাদের পোষমানা নদী। নদীটির সঙ্গে আমার দেখা হতো বছরে কয়েকবার, যখন আমি গ্রামের বাড়ি যেতাম। আমাদের বাড়ি গাইবান্ধা জেলার গোবিন্দগঞ্জ থানার সাতানা বালুয়া গ্রামে। বাবার চাকরিসূত্রে রংপুর শহরে বেড়ে উঠলেও গ্রামের বাড়িতে অনেকবার গিয়েছি। আমার গ্রামের বাড়িটা নদীর একদম ওপরেই, পাড় ঘেঁষে। আমাদের ওই নদী আসলে করতোয়ারই একটি অংশ, স্থানীয়ভাবে কাটাখালী নদী বলে পরিচিত। অন্য সব নদীতীরবর্তী মানুষের মতোই, একদম ছোটবেলায়, সম্ভবত তিন-চার বছর বয়সে আমি সাঁতার কাটা শিখেছি। দলবেঁধে নদীতে গোসল করতে গিয়েছি, গামছা ছেঁকে মাছ ধরেছি। ছোট ছোট চাঁদা মাছ ধরা যেত গামছা দিয়ে। বেলে মাছগুলো একটু বোকা ধরনের হয়–হাত দিয়েই ধরা যেত। নদীতে এসব করতে করতেই একসময় সাঁতার শেখা হয়ে গেছে আমার। পিঁপড়া খাওয়ার ঘটনা আমার জীবনেও ছিল; কিন্তু সাঁতারটা আমি নদীতেই শিখেছি। নৌকা বাওয়ার কাজটাও আমি ছয়-সাত বছরেই শিখে নিয়েছিলাম। নিজেদেরই নৌকা ছিল। গরুর গাড়িও ছিল। শীতকালের বাহন গরুর গাড়ি আর বর্ষাকালের জন্য নৌকা। আরেকটা যান আমরা ছোটরা খুবই ব্যবহার করতাম, সেটা হচ্ছে কলাগাছের ভেলা। বর্ষার প্রথম পানি আসার সঙ্গে সঙ্গেই কলাগাছ কেটে ভেলা বানানোর কাজটা করতেন বড় ভাইয়েরা। আমি তাঁদের সঙ্গে থাকতাম।

আমাদের কাটাখালী নদী নিয়ে বেশ কয়েকটা ঘটনা খুবই মনে পড়ে। সাত-আট বছর বয়সে একদিন আমি আর খেলার সাথি একটি ছেলে মিলে নদীর অপর পাড়ে গেছি নৌকা বেয়ে। ওর নাম অতুল, পাশের বাড়ির ছেলে। নদীর এক পাড় থাকে খাড়া, গ্রামে আমরা বলি কাতি। আরেকটা পাড় থাকে ঢালু, এটাই নিয়ম। আমাদের বাড়ির দিকে নদীর পাড় ঢালু, অপর পাড় খাড়া। আমি আর অতুল নৌকা নিয়ে ওই পাড়ে চলে গেছি। গিয়ে দেখি পানির ধারে ডিম পড়ে

আছে। ওই নদীতে অনেক হাঁস ঘুরে বেড়াত, সেগুলোরই কোনো একটার ডিম। ডিমটা নিয়ে আসা হলো। অতুলের মা পিঁয়াজ দিয়ে ডিমটা ভাজলেন। আমরা দুজন খুব মজা করে ডিমভাজা খেলাম।

কাটাখালী নদী নিয়ে আরেকটি ঘটনা আমার খুব মনে আছে। বন্যার পানি নেমে যাচ্ছে তখন। আমি একা একা নৌকা বাইছি নদীতে। অপর পাড়ে একজন বুড়োমতো মানুষ আমাকে ডাকছেন–নৌকা নিয়ে গেলে নদী পার হবেন। আমি তাঁর কাছে যাওয়ার চেষ্টা করছি, কিন্তু পারছি না–স্রোতে নৌকা ঘুরে যাচ্ছিল বারবার। অতি কষ্টে পাড়ের কাছে গেলাম। ওই বৃদ্ধ লোক কোমরপানিতে নেমে নৌকা টেনে ধরলেন এবং উঠে পড়লেন।

একবার ফুপুর বাড়ি যাচ্ছি। নৌকায় করে বেশ খানিকটা পথ যাব; বাকি পথ গরুর গাড়িতে। নৌকা থেকে নামার জায়গাটা ছিল নদীর আরেক পাড়ে। কথা ছিল, গাড়ির গরুগুলো এই পাড় দিয়ে হেঁটে গিয়ে আমরা যেখানে নামব, সেখানে নদী পার হবে। কী কারণে যেন গরুর গাড়ি ওই পাড়েই ছিল। তখন বর্ষাকাল, নদীতে খুবই স্রোত। আমরা যথারীতি নদী পার হয়ে ওপাশে নামলাম, কিন্তু গরুগুলো কিছুতেই পার করা যাচ্ছিল না। যতবার পার হতে যায়, স্রোতে ভেসে অন্যদিকে চলে যায়।

আরেক দিন নৌকায় করে মাছ ধরতে যাচ্ছিলাম। বাঁশ দিয়ে বানানো ঝাঁকা নদীতে পেতে রাখা হতো; সেখানে বড় বড় আইড় মাছ ধরা পড়ত। বন্যায় তখন নদী আর তার চারপাশ ডুবে গেছে। আমরা নদীর মধ্য দিয়ে মাছ ধরার জায়গায় যাচ্ছিলাম। হঠাৎ নৌকাটা ডুবে গেল। অবশ্য নৌকা ডোবা আমাদের জন্য কোনো ব্যাপার ছিল না–সবাই সাঁতার জানতাম। ঘটনা কেন যেন মনে গেঁথে আছে।

কাটাখালী নদী নিয়ে আমার আরেকটি কথা খুব মনে পড়ে। সম্ভবত একাত্তর সালে। তখন আমার বয়স ছয় বছর। চাচাতো ভাইয়ের সঙ্গে নৌকায় করে কোথাও যাচ্ছিলাম। রাত্রিবেলা। পাশে নদীর উঁচু পাড়। তিনি রেডিওতে বিবিসি শোনার চেষ্টা করছেন।

আমাদের নদীতে নৌকাবাইচও হতো। আনুষ্ঠানিক নৌকাবাইচ না। বাইচের নৌকা নয়, সাধারণ নৌকা। আমাদের নৌকা, পাশের বাড়ির নৌকা, আরেক পাড়ার নৌকা এনে বাইচ করতাম আমরা। খুব মজা করে হেইয়ো, হেইয়ো গান গাইতাম। যে নৌকা জিতত, তাকে একটা পুরস্কার দেওয়া হতো।

কিছুদিন আগে বাড়ি গেলাম। গিয়ে দেখি বাড়ি ঘেঁষেই বড়, উঁচু একটা বাঁধ নির্মিত হয়েছে। পুরো নদীটা বাঁধের ভেতরে। আগে বাড়ির উঠোনে দাঁড়িয়ে

আদিগন্ত নদী দেখা যেত। অনেক দূর পর্যন্ত নদীটা চোখে পড়ত। বাঁধের কারণে সেটা আড়াল হয়ে গেছে। আগেও নদীটা দূরে যেত। বর্ষাকালে যেমন আঙিনায় এসে পড়ত, শীতকালে আবার দূরে সরে যেত। কিন্তু এভাবে কখনো আড়াল হয়নি। ঘরের পাশে দাঁড়িয়ে রঙিন পালতোলা নৌকা, মালবাহী নৌকা দেখা যেত। ওসব নৌকার মাঝিরা সত্যিই সুন্দর সুন্দর গান গাইতেন। আমার বাবা গল্প করেন, তাঁদের ছেলেবেলায় কাটাখালী নদী দিয়ে গুড়বোঝাই নৌকা যেত। তিনি নদীর ধারে গেলে মাঝিরা ডেকে গুড় খেতে দিতেন। গুড় আর নদীর পানি খেয়ে বাড়ি ফিরতেন তিনি। বাঁধের কারণে নদীটা যেন আমাদের অনেক দূরে সরে গেল। আমাদের একটা গৃহপালিত নদী ছিল, সেটা যেন পর হয়ে গেল।

২৬/০৩/২০১১

সেই বিকেলের গল্প

বাইরে একটা কোকিল ডেকে উঠল। দক্ষিণের জানালা দিয়ে বাতাসও আসছে ঘরে, বসন্তের বিখ্যাত সমীরণ। আমের গাছে মুকুল এসেছে নাকি! আজকাল বাতাসে কেবল বারুদের গন্ধ, টায়ার পোড়ানোর গন্ধ। এর মধ্যে হঠাৎ করে এক ঝলক বসন্ত বাতাস শেখ মুজিবের শরীরে একটু যেন শান্তির স্পর্শ বুনে দিল। তাঁর মনে হলো, গোপালগঞ্জের টুঙ্গিপাড়ায় তাঁদের বাড়ির সামনের ছোট্ট খালটার পাশে আমগাছের নিচে এমনই গন্ধ লেগে থাকত। গাছতলাটা কেমন ছেয়ে থাকত ঝরা মুকুলের দানায়।

শেখ মুজিব শুয়ে আছেন বিছানায়। মাথার কাছে তাঁর বড় মেয়ে হাসু একটা মোড়া নিয়ে বসে আছেন। আর পায়ের কাছে বসেছেন বেগম মুজিব। শেখ মুজিব তাঁকে ডাকেন রেনু বলে। এই বিকেলে মুজিবের এভাবে শুয়ে থাকার কথা নয়। আজ সাতই মার্চ। ১৯৭১ সাল। রেসকোর্স ময়দান ভরে গেছে মানুষে মানুষে। প্রায় ১০ লাখ মানুষ সমবেত হয়েছে সেখানে। প্রায় সবার হাতে লাঠি। সবার মুখে স্লোগান: 'বীর বাঙালি অস্ত্র ধরো, বাংলাদেশ স্বাধীন করো।'

স্বাধীনতা...সারাটা জীবন এই একটা লক্ষ্যই মনের মধ্যে মুজিব সযত্নে লালন করে আসছেন। সেই যখন ১৯৪৭ সালে ভারত ভাগ হলো, শরৎ বসু আর মুজিবের নেতা সোহরাওয়ার্দীর শেষ মুহূর্তের আসামসহ একটা অখণ্ড বাংলা গঠনের উদ্যোগ ভেস্তে গেল, আবুল হাশিমপন্থী বলে পরিচিত মুসলিম লীগের প্রগতিশীল অংশটা খাজাদের কাছে কোণঠাসা হয়ে পড়ল, তখন শেখ মুজিব বেকার হোস্টেলের একটা কক্ষে মিলিত হয়েছিলেন মুসলিম ছাত্রলীগের সমমনা কর্মীদের সঙ্গে। সেদিনই তিনি বলেছিলেন, 'পাকিস্তান অর্জিত হচ্ছে বটে, কিন্তু আমাদের সংগ্রাম শেষ হচ্ছে না, শুরু হচ্ছে।' ঢাকায় ফিরেই তিনি শুরু করলেন মিছিল-মিটিং। ১৯৪৮ সালেই 'রাষ্ট্রভাষা বাংলা চাই' বলে শুরু করে দিলেন আন্দোলন। গত ২৪টা বছর তিনি এই একটা লক্ষ্যেই কাজ করে চলেছেন। অ্যান্থনি মাসকারাসের সঙ্গে ১৯৫৮ সালের অক্টোবরে বালুচ রেজিমেন্টের মেসেও তিনি উত্তেজিত হয়ে বলেছিলেন, 'আমাদের স্বাধীনতা পেতে হবে। আমাদের নিজেদের সেনাবাহিনী, নৌবাহিনী, বিমানবাহিনী থাকতে হবে।'

আজ একটা সন্ধিক্ষণে পৌঁছেছেন তিনি। গতকাল বিকেলে পাকিস্তানের প্রেসিডেন্ট ইয়াহিয়া খান ভাষণ দিয়েছেন। নিজের এই ঘরে শুয়ে রেডিওতে সেই ভাষণ তিনি শুনেছেন। সব দোষ বাঙালিদের দেওয়া হলো? দোষ আমাদের? আমাদের রক্তের দামে কেনা বুলেট আমার মানুষের ওপর বর্ষণ করা হচ্ছে, আর দোষ আমাদের? গত রাতে আওয়ামী লীগের নেতাদের সঙ্গে ভাষণ-পরবর্তী করণীয় নিয়ে বৈঠক হয়েছে।

আজ পুরো জাতি অপেক্ষা করছে তিনি রেসকোর্স ময়দানে গিয়ে কী বলবেন, তা শোনার জন্য। মানুষ একটা কথাই শুনতে চায়। স্বাধীনতা। যুক্তরাষ্ট্রের মতো দেশ থেকে এরই মধ্যে তাঁকে জানিয়ে দেওয়া হয়েছে, এই মুহূর্তে ইউডিআই, ইউনিল্যাটারাল ডিক্লারেশন অব ইনডিপেনডেন্স তিনি করুন, তারা সেটা চায় না। কাল রাতেই ইয়াহিয়া খান ফোন করেছিলেন, তিনি অনুরোধ করেছেন, এখনই যেন মুজিব চূড়ান্ত কিছু ঘোষণা না দেন। চারদিকে রব, আজ যদি তিনি স্বাধীনতা ঘোষণা করেন, আজকেই পাকিস্তানি বাহিনী হামলা শুরু করবে। রক্তনদী বইয়ে দেওয়া হবে। তাঁকে বিচ্ছিন্নতাবাদী বলে দোষ দেওয়া হবে। স্বাধীনতা ঘোষণা করলেই তো চলবে না। সেটা ধরে রাখতে হবে। ফিলিস্তিনিরা সেই কবে থেকে লড়ছে স্বাধীনতার জন্য, আইরিশরা লড়ছে, কিন্তু অর্জন তো করতে পারছে না।

অন্যদিকে মানুষ নিজের গতিতে বিস্ফোরণের দিকে এগোচ্ছে। এই নেতৃত্ব মুজিবের নাগালের বাইরে চলে যাবে, যদি তাঁর মুখ থেকে সময়ের সংলাপ উচ্চারিত না হয়। ছাত্ররা স্বাধীন বাংলাদেশের পতাকা বানিয়ে ফেলেছে। তাঁর উপস্থিতিতেই সেই পতাকা ওড়ানো হয়েছে। তাঁর সারা জীবনের স্বপ্ন 'আমার সোনার বাংলা আমি তোমায় ভালোবাসি'–এই গানটা হবে বাংলাদেশের জাতীয় সংগীত। সবকিছু ঠিক। ছাত্রনেতারা তাঁকে বারবার করে জানান দিচ্ছেন, স্বাধীনতা ঘোষণার চেয়ে কম কিছু তাঁরা শুনতে চান না।

তিন দিন আগে গুলিতে মারা গেছে ফারুক ইকবাল। আবুজর গিফারি কলেজের ছাত্র। মৌচাক-মালিবাগের মোড়ে তারা মিছিল করছিল। মুজিব শুনতে পেয়েছেন, মৃত্যুর আগে নিজের রক্ত দিয়ে এই ছাত্রটি রাজপথে লিখেছিল, 'জয় বাংলা'। মানুষ মরতে শিখেছে। এই মানুষকে কে দাবায়া রাখতে পারবে?

একটু পরে তাঁকে উঠতে হবে গাড়িতে। যেতে হবে রেসকোর্স ময়দানে। রেনু তাঁকে বললেন, 'মেলা রাত মিটিং করেছ। সারা দিন একদণ্ডও ফুরসত পাওনি। এখন একটু বিশ্রাম নাও। ১০টা মিনিট শুয়ে থাকো।'

মুজিব রেনুর কথা শুনলেন। তিনি ১০টা মিনিটের জন্যই শরীর এলিয়ে দিলেন বিছানায়। পায়ের কাছে রেনু, মাথার কাছে হাসু।

বেগম মুজিব বললেন, ‘শোনো, তোমার সামনে লক্ষ মানুষ, তাদের হাতে লাঠি। তোমার পেছনে বন্দুক। এই লক্ষ মানুষ যেন হতাশ না হয়। কারও পরামর্শ শোনার দরকার নাই। তোমার বিবেকের দিকে তাকাও। তোমার মন যা বলবে, তা-ই বলবা।’

মুজিব যেন কোত্থেকে শক্তি পেলেন। তাঁর মন যা বলবে, তা-ই তিনি বলবেন।

তিনি উঠে পড়লেন। বেগম মুজিব তাঁকে এগিয়ে দিলেন তাঁর সাদা পাঞ্জাবি, তাঁর কালো হাতাকাটা কোট।

বঙ্গবন্ধু মুজিব রওনা হলেন। নিরাপত্তার জন্য ৩২ নম্বর থেকে সরাসরি মিরপুর রোডে না উঠে পশ্চিম দিক দিয়ে রওনা হলো গাড়ি।

শেখ মুজিব চলেছেন। পথে মানুষ আর মানুষ। হাতে লাঠি, লগি। তাদের এক দফা–স্বাধীনতা। মানুষের ভিড় ঠেলে সভামঞ্চে পৌঁছাতে দেরি হয়ে যায়। নৌকা আকৃতির মঞ্চ। এখন যেখানে শিশুপার্ক, তার দক্ষিণ-পূর্ব কোণে ছিল সেই মঞ্চটি।

রোদ মরে আসছে। ফাল্গুনের বাতাস স্তব্ধ হয়ে আছে মুজিব কী বলেন, তা শোনার জন্য। উৎকর্ণ হয়ে আছে সমবেত ১০ লাখ মানুষ। তাঁর সঙ্গে সাড়ে সাত কোটি বাঙালি। ২৪টা বছর যে মানুষটা সাহস, প্রতিজ্ঞা, দেশপ্রেম, আত্মত্যাগ দিয়ে হয়ে উঠেছেন সব বাঙালির একমাত্র কণ্ঠস্বর, এবার তিনি মুখ খুলবেন।

তিনি মাইক্রোফোনের সামনে দাঁড়ালেন। একটা সবুজ হেলিকপ্টার সেনাবাহিনীর উপস্থিতি জানান দিতে উড়ছিল রেসকোর্সের ওপর দিয়ে।

মুজিব জনতাকে অভিবাদন জানিয়ে মুখ খুললেন। ‘আজ দুঃখভারাক্রান্ত মন নিয়ে আপনাদের সামনে হাজির হয়েছি।’

বললেন তাঁর সারা জীবনের সব ক্রিয়াকর্মের সারকথা, ‘আমি প্রধানমন্ত্রিত্ব চাই না, দেশের মানুষের অধিকার চাই।’

বললেন, ‘প্রত্যেক ঘরে ঘরে দুর্গ গড়ে তোলো। তোমাদের যা কিছু আছে, তা-ই নিয়ে শত্রুর মোকাবেলা করতে হবে।’

‘রক্ত যখন দিয়েছি, রক্ত আরও দেব। এ দেশের মানুষকে মুক্ত করে ছাড়ব ইনশাল্লাহ। এবারের সংগ্রাম আমাদের মুক্তির সংগ্রাম, এবারের সংগ্রাম স্বাধীনতার সংগ্রাম।’

২০ মার্চ ২০১১, ঢাকা

২০ বছর আগের ১৫ বৈশাখ
মাকে মনে পড়ে তাহার মাকে মনে পড়ে...

তিনি আমাকে ফেসবুকে লেখেন, 'আপনার *সুন্দরবন* কবিতা গোল্লাছুটে প্রথম বেরোয়। কবিতাটা পড়ে চমকে উঠি। আরে, এ যে আমার জীবনের কথা! ডায়েরিতে টুকে নিয়েছি। মাঝেমধ্যে বের করে পড়ি।'

আমি বলি, 'আপনার জীবনে কী ঘটেছে, বলুন তো!'

'আপনার কবিতায় মা যেমন গাছ ধরে সন্তানদের বাঁচাতে চেয়েছিল জলোচ্ছ্বাস থেকে, আমার বাবাও তেমনি করে আমাকে নিয়ে আশ্রয় নিয়েছিলেন একটা গাছের ওপরে। আর আমার মা আমার ছোট দুই ভাইবোনসহ ভেসে গেছেন ওই দিনের আরও এক লাখ ৩৫ হাজার মানুষের মতো... ।'

সুন্দরবন নামের পদ্যটা আমি লিখেছিলাম আমেরিকায় বসে।

'একটা লেখা দাও, বিষয় হলো পৃথিবী। ওয়াশিংটনের সিটি ড্যান্স গ্রুপ সেটা থেকে নৃত্য রচনা করবে।' ওঁরা বলেছিলেন।

আমেরিকার আইওয়া বিশ্ববিদ্যালয়ে আমরা তিন মাসের জন্য আবাসিত হয়েছিলাম ৩০ দেশের ৩৮ জন লেখক। ২০১০-এর সেপ্টেম্বর-নভেম্বর। কী লিখে দেওয়া যায় ওদের? কী নিয়ে লেখা উচিত? আমার মনে এসেছিল সুন্দরবনের কথা। সুন্দরবন নিজেই ভোটে দাঁড়িয়েছেন, প্রাকৃতিক সপ্তাশ্চর্য প্রতিযোগিতায়, আর বৈশ্বিক উষ্ণতা মোকাবিলায় ঝড়ঝাপ্টা সামলে মায়ের মতোই তিনি তাঁর সন্তানদের আগলে রেখে চলেছেন। সবার সামনে সুন্দরবনকে তুলে ধরার, গ্লোবাল ওয়ার্মিংয়ের ব্যাপারে সচেতনতা সৃষ্টি করার জন্য এ হতে পারে একটা শৈল্পিক সুযোগ।

লিখে ফেললাম এই পদ্যটা–

সুন্দরবন

সন্তান: সমুদ্রজল নোনা কিন্তু চোখের মতো শান্ত কেন নয়?

মা: বাছা তোরা জানতি যদি আমার বুকেও সমুদ্রঝড় বয়!

সন্তানঃ তুফান যখন আসে তখন সমুদ্র কি দৈত্য হয় গো মা?
ঝরাপাতার মতন ওড়ায় ঘরদোর আর ডোবায় যখন গাঁ!
ভাইয়া যখন ভেসে গেল ভেসে গেল যার যা কিছু ছিল,
আমি তোমায় ধরে ছিলাম, ভাইয়া কখন আঙুল ছেড়ে দিল!
মাঃ এক হাতে ঠিক ধরেছিলাম পুরোনো গাছ ভিটের পূর্বপারে,
গাছটা তখন ঠাঁই দিয়েছে, গাছটা কত সইতে দেখো পারে!
সন্তানঃ আমরা তোমায় ধরে ছিলাম, তুমি ছিলে গাছের কাণ্ড ধরে,
এইভাবে আর যায় কি বাঁচা, সমুদ্রজল ফুঁসছে যখন জোরে!
ভাইয়া ঠিকই পড়ল ঝরে!
মা গো আমার মা!
এ গাঁও ছেড়ে চল চলে যাই, এইখানে বল থাকবি কেমন করে!
কিন্তু গাছটা সঙ্গে নেব, ভাইয়ার বই, পুতুল গেছে ভেসে,
গাছটা তো ঠিক মায়ের মতো, ঠাঁই দিয়েছে, ওটাই নেব শেষে।
মাঃ কী যে বলিস বাছা,
শেকড় উপড়ে ফেলা হলে গাছের পক্ষে সম্ভব কি বাঁচা?
গাছটা থাকুক গাছটা বাঁচুক বাঁচাক আমার গাঁ
সন্তানঃ মা গো আমার মা!
চল চলে যাই দূরের দেশে, গাছটাকে কি সঙ্গে নেব না!
অশ্রু ঝরে অশ্রু ঝরে অশ্রু কেবল ঝরে মায়ের চোখে
সমুদ্রজল বাড়ছে তাই তো, অশ্রুজলকে সাগর বলে লোকে!

আমি বাঙালি লেখক, বাংলায় লিখি, বাংলায় বলি। ওরা এর মাথামুণ্ড কী বুঝবে। আমার সঙ্গে ওঁরা ভিড়িয়ে দিয়েছিলেন দুজন অনুবাদিকা। এর মধ্যে একজন সারা আকন্ত, নিউ ইয়র্কের তরুণ কবি, আইওয়ায় পড়াশোনা করছেন ক্রিয়েটিভ রাইটিং নিয়ে। আমরা দুজন মিলে পদ্যটা ইংরেজিতে অনুবাদ করে ফেলি।

Child : Oh mother, the sea-water is salty like a tear! Why is it not calm like an eye?

Mother : Oh child, there's a sea-cylcone in my heart as well, and you know why!

...

Tears are falling, tears and tears, they make the sea grow rougher,
You may think tears are sea water, but the sea is much, much tougher!

ওয়াশিংটন ডিসিতে আমাদের জনাদশেক লেখকের কাজ নিয়ে সিটি ড্যান্স গ্রুপ আয়োজন করল একটা নৃত্যসন্ধ্যার। ওরা অনুষ্ঠান শুরুই করল সুন্দরবন

দিয়ে। সুন্দরবন বিশেষ গুরুত্ব পেয়েছিল ওই অনুষ্ঠানে। সেই খবরটা পড়তে পারেন এই ওয়েবসাইটে http://www.america.gov/st/peopleplace-english/2010/December/20101208111104drawoh0.4415552.html

দেশে ফিরে এসে ওই পদ্যটা ছাপতে দিই *প্রথম আলোর* 'গোল্লাছুট' পাতায়। তারপর মাস ছয়েক তো পেরিয়েই গেছে। হঠাৎ ফেসবুকে এই বার্তা। একজনের জীবনকাহিনি মিলে গেছে এই কবিতার সঙ্গে।

তাঁর নাম জিয়া জিয়াবুল করিম। তিনি চট্টগ্রাম বিশ্ববিদ্যালয়ে আইনের ছাত্র। কুড়ি বছর আগে, ২৯ এপ্রিলে বাংলাদেশের চট্টগ্রাম উপকূলজুড়ে যে ঘূর্ণিঝড় আর জলোচ্ছ্বাস আঘাত এনেছিল, তারই এক করুণ শিকার জিয়াদের পরিবারটি।

জিয়ার বয়স তখন ছিল সাড়ে চারের মতো। ওর বাবা ব্যবসায়ী ছিলেন। দোকানপাট ছিল কুতুবদিয়ায়। তাদের ছিল মধ্যবিত্ত পরিবার। ১৯৯১ সালের জলোচ্ছ্বাস ওদের রিক্তপ্রায় করে ফেলে।

১৯৯১ সালের ২৯ এপ্রিল দিনটার কথা এখনো ভুলতে পারেন না জিয়া। একদিন আগেও জিয়ারা ছিলেন বাঁশখালিতে, তার নানাবাড়িতে। মৃত্যু যেন তাদের টেনে আনল নিজেদের বাড়িতে, কুতুবদিয়ায়।

সকাল থেকেই আকাশ ছিল মেঘলা, আবহাওয়া ছিল গুমোট আর বৃষ্টি হচ্ছিল গুঁড়ি গুঁড়ি। সন্ধ্যার পর বাতাসের বেগ গেল বেড়ে। ভয়ংকর হয়ে উঠল প্রকৃতি। যেন ইস্রাফিলের শিঙা বাজছে। ভয়ে জড়সড় সাড়ে চার বছরের জিয়া আর তার আরও দুই ভাই দুই বোন আশ্রয় নেয় মায়ের আঁচলের তলায়। হঠাৎ বক্ষবিদারী আওয়াজ, পানি আসছে, পানি...বাবা তাদের সবাইকে ঘরের চালের ওপরে তুলে দেন। নিজেও আশ্রয় নেন অ্যাসবেস্টসের চালে। জিয়া আমাকে ই-মেইলে লিখেছেন, 'মায়ের কোলে তখন আমি আর আমার দেড় বছরের ভাই রবিউল আর তিন বছরের বোন রহিমা। আমার আর দুই ভাই বাবার সঙ্গে আমাদের পাশে।' ভীষণ বৃষ্টি হচ্ছে, সুঁচের মতো বৃষ্টি এসে লাগছে গায়ে, পানি ধেয়ে আসছে, বাঁকা জল, ক্রূর জল। ভয়ানক আওয়াজ হচ্ছে। বজ্রবৃষ্টি হচ্ছে ভীষণ! সাগর থেকে ধেয়ে আসছে পাহাড়ের সমান ঢেউ। পানি বাড়ছে। চালে-জলে একাকার। অনেকেই চালের পাশের গাছে উঠে যেতে সক্ষম হলো। জিয়া লিখেছেন, 'আমরা গাছে উঠতে পারিনি। আমাদের অ্যাসবেস্টসের চাল ভেঙে যায় সহজেই। কিন্তু কাঠের তৈরি খিলানি ধরে আমরা টিকে থাকার চেষ্টা করছি। জলে ডুবছি আর ভাসছি। একটা ভাসমান ট্রাঙ্কের মধ্যে বাবা আমার ছোট ভাইবোন দুটোকে রেখে সেটা আঁকড়ে ধরে আছেন। আমি চালের খিলানি ধরে আছি ভেসে। আমার একটা জ্যাঠাত বোন মাকে ধরে আছে বাঁচার শেষ চেষ্টায়। একটা প্রচণ্ড ঢেউ এল। আমার বড় ভাই দুটোকে ভাসিয়ে নিয়ে চলে গেল। দূরে

কয়েকটা গাছ দেখা যাচ্ছে। ভাবছি সেটায় উঠে পড়া যায় কি না। কিন্তু কোত্থেকে একটা বাঁশের বেড়া এসে পড়ল আমাদের ওপর। সবকিছু ভেঙে পড়ল হুড়মুড়িয়ে। মনে হলো, সব শেষ। মিনিট কুড়ি পরে বাবা আবিষ্কার করলেন, আমি তাঁর গলা ধরে আছি। তিনি তখন একটা গাছে উঠে পড়লেন আমাকে নিয়ে। ভীষণ শীতে আমার সমস্ত শরীর অবশ। বাবার পরনে ছিল একটা সোয়েটার। বাবা সেই সোয়েটারের ভেতরে আমাকে ঢুকিয়ে দিলেন। তিনি গাছ ধরে প্রকৃতির বিরুদ্ধে যুদ্ধ করছেন। আর আমি তাঁর পেটের সঙ্গে সোয়েটার ঘেরা হয়ে ঘুমিয়ে পড়লাম। সকালবেলা ঘুম ভাঙল।

'পরে আমার বড় দুই ভাইকে খুঁজে পাওয়া যায়। কিন্তু ছোট ভাই, বোন আর মাকে আর কোনো দিনও খুঁজে পাওয়া গেল না। বড় হয়ে শুনেছি, তিনি প্রেগন্যান্ট ছিলেন তখন।...মাকে আমার মনে পড়ে, আবার মনে পড়েও না। মনে না পড়ার সুবিধা হলো, আমার মনে হয়, আমার মা ছিলেন পৃথিবীর সবচেয়ে মমতাময়ী মুখের অধিকারিণী।

'আপনার লেখা এই লাইনগুলো তো আমার জীবনে ঘটে যাওয়া ঘটনা–
"ভাইয়া যখন ভেসে গেল ভেসে গেল যার যা কিছু ছিল,
আমি তোমায় ধরে ছিলাম, ভাইয়া কখন আঙুল ছেড়ে দিল!

এক হাতে ঠিক ধরেছিলাম পুরোনো গাছ ভিটের পূর্বপারে,
গাছটা তখন ঠাঁই দিয়েছে, গাছটা কত সইতে দেখো পারে!"

'মায়ের কোনো ছবি নেই আমার, মায়ের কোনো উল্লেখযোগ্য স্মৃতি নেই। আমি জানি না, মায়ের কোলে মাথা রেখে ঘুমাতে কেমন লাগে, কেমন লাগে মা মা বলে ডেকে তাঁর পাশে গিয়ে দাঁড়াতে...। ২৯ এপ্রিল এলেই এই সব কথা বড় বেশি মনে বাজে, আর সারাটিক্ষণই যে মায়ের মুখ আমি মনেও করতে পারি না, তাঁকে খুব মনে পড়ে...।'

০৭/০৫/২০১১

যেন বঙ্গমাতা কবিতার মা

রবীন্দ্রনাথ তাঁর 'বঙ্গমাতা' কবিতায় লিখেছিলেন, 'পুণ্যে পাপে দুঃখে সুখে পতনে উত্থানে/ মানুষ হইতে দাও তোমার সন্তানে/ হে স্নেহার্দ্র বঙ্গভূমি– তব গৃহক্রোড়ে/ চিরশিশু করে আর রাখিও না ধরে।' আমাদের আম্মা রবিবাবুর সেই ডাক যেন শুনতে পেয়েছিলেন; তিনি ঘোষণা করে রাখলেন, আমার সব ছেলেকে গাছে চড়া, সাইকেলে চড়া আর সাঁতার কাটা জানতে হবে, পারতে হবে। আমার শৈশবের বেশির ভাগটা কেটেছে গাছের ডালে ডালে। কোন ছোটবেলায় গ্রামের বাড়ির বন্যাপ্লাবিত নদীতে সাঁতার শিখেছি, সেটা নিজেও জানি না। সারা দিন বৃষ্টিজলে ভিজে বিকেলে বাড়ি ফেরার পর রাতে আসত অবধারিত জ্বর, তখন আম্মা সাগু বা বার্লির ভয়াবহ তরলটা মুখে ধরে কপালে জলপট্টি দিতে দিতে বলতেন, 'যা, ক্যানালের পানিতে গিয়া ঝাঁপাল পাড়, পানি তোদের ডাকছে।' আমরা পিঠেপিঠি চার ভাইবোন, সিরিয়ালি জন্ম নেওয়া, টুটুন, লিটুন, মুনমুন আর আমি মিটুন। আমার নয় বছর বয়সে হলো আমাদের সবচেয়ে ছোট ভাই মিলন। আম্মার জীবনের একটা ব্রত ছিল, 'মানুষ হইতে দাও তোমার সন্তানে।' মানুষ করার উপায় হলো, পরীক্ষার ফল ভালো করা, আর তার জন্য উত্তম-মধ্যমই ছিল সর্বোত্তম দাওয়াই। আম্মাও তাঁর লক্ষ্য স্থির করে ফেললেন, আমার ছেলেমেয়েদের বৃত্তি পেতে হবে আর স্ট্যান্ড করতে হবে। আমার বড় ভাই হলেন আম্মার এই প্রকল্পের প্রধান টার্গেট। টুটুন ভাই পড়তে পড়তে ঘুমিয়ে পড়তেন। তাঁর ঘুম ভাঙত আম্মার পিটুনির চোটে। চোখ মেলে তিনি শুনতে পেতেন, 'পড়, ঘুমাস কেন!' এই সময় আমাদের বাঁচাতে এগিয়ে আসতেন আমাদের বড় আম্মা। ছোটবেলা থেকেই দেখে আসছি, আমাদের দুজন আম্মা, বড় আম্মা আর ছোট আম্মা, বড় আম্মা নিঃসন্তান, কিংবা বলা চলে, আমরাই তাঁর সন্তান। আমাদের খাওয়ানো-পরানো, গোসল করানো, সর্ষের তেল মাখিয়ে রোদে দেওয়া, এই সব কাজ ছিল বড় আম্মার। তিনি আমাদের টিউবওয়েলের পাড়ে নিয়ে গিয়ে জোর করে গোসল করাতেন, গায়ে সাবান মাখতেন আর আওড়াতেন তাঁর প্রিয় সংলাপ, 'অরা কী কালো, গোসল না করিয়া করিয়া ময়লা জমিয়া কালো দেখায়।'

ছোট আম্মা এই মুহূর্তে গাইবান্ধার গোবিন্দগঞ্জে আমাদের গ্রামের বাড়িতে। ছোটবেলায় যাকে বলতাম দাদার বাড়ি। আম্মা সেখানে গেছেন ধান তুলতে। এইটা আম্মার প্রিয় কাজ। এর বাইরের বেশির ভাগ সময় তিনি রংপুরে থাকেন। ছোট ভাইও রংপুরে থাকে। ওখানে আমাদের পুরোনো বাসার পাশেই বড় ভাই একটা চারতলা বাড়ি করে রেখেছেন। সবাই ওই বাসাতেই থাকে। আমরাও সব ভাইবোন ঈদে রংপুর গেলে ওই বাসায় চাঁদের হাট বসিয়ে ফেলি। কথাটা আমি আবদল্লাহ আবু সায়ীদ স্যারের কাছ থেকে ধার করে বললাম। স্যারকে রংপুর জিলা স্কুলের পুনর্মিলনী উপলক্ষে ২০০৭ সালে ঈদের সময়ই আমাদের বাসায় একটুক্ষণের জন্য নিয়ে গিয়েছিলাম, আমাদের সব ভাইবোন, ভাবি, ছেলেমেয়েকে একসঙ্গে দেখে স্যার এই কথা আমাদের বাসাটা সম্পর্কে বলেছিলেন।

আম্মা নিজ হাতে আমাদের পড়াতেন। গ্রামারের টেন্স পড়াতেন উঠতে-বসতে। থার্ড পারসন সিংগুলার নাম্বার আমি আম্মার কাছেই শিখেছি। তো, আম্মার এই একান্ত সাধনার ফল মিলতে লাগল। বড় ভাই ক্লাস ফাইভের বৃত্তিতে ফার্স্ট হয়ে গেল। এরপর শুরু হলো আমাদের ওপরে স্টিম রোলার। ফার্স্ট তোমাকে হতেই হবে। স্ট্যান্ড তোমাকে করতেই হবে। আমি তো ক্লাসে গিয়ে দেয়াল পত্রিকা বের করছি, হাতে লেখা পত্রিকা বের করছি, ডিবেট করছি, নাটক লিখছি। ছোটবেলায় আমার খ্যাতি ছিল ছবি আঁকার। আম্মা খুব ভয় পেতেন। পিটিআইয়ের বার্ষিক পত্রিকায় একটা গল্প ছাপা হয়েছিল, তাতে আর্টিস্ট মানে লেখা ছিল, বড় বড় দাড়ি, ময়লা পায়জামা-পাঞ্জাবি আর ছেঁড়া স্যান্ডেল। সেটা পড়ে আম্মা আমাকে নানাভাবে নিবৃত্ত করতে লাগলেন, যাতে আমি না আবার আর্টিস্ট হয়ে পড়ি।

আম্মার ছিল ভীষণ সাহস। মুক্তিযুদ্ধের সময় আমরা বগুড়ার সোনাতলায় হঠাৎ একদিন রব উঠল, মিলিটারি আসছে মিলিটারি। আমরা পিটিআইয়ের কোয়ার্টার ছেড়ে বিল পার হয়ে সবাই পালাচ্ছি, আম্মা একা ঘুরে দাঁড়ালেন। ঘরদোর খোলা, তালা দেওয়া হয়নি, একা ফিরে গেলেন বাসায়, তালাচাবি দিয়ে নামছেন, দেখেন দুজন লোক বাড়ির সিঁড়িতে উঠছে, তিনি বললেন, 'কী চাও?' তারা বলল, 'যদি কোনো সাহায্য লাগে, তাই এসেছি।' আম্মা বললেন, 'খুব ভালো করেছ, এই বোঝাটা নিয়ে চলো বিলের ওই পাড়ে।'

আমার মেজো ভাই কানাডা গেছেন এমএস করতে। সারাক্ষণ কান্নাকাটি করেন। দেশে ফিরে আসবেন। আম্মাকে ফোন করে তিনি বললেন, 'আম্মা, দেশে ফিরে আসি। আপনি কী বলেন?' আম্মা বললেন, 'খবরদার, পিএইচডি না করে দেশে আসবে না।' আম্মা যেন রবীন্দ্রনাথের বাণীই পালন করলেন, 'শীর্ণ শান্ত সাধু তব পুত্রদের ধরে/ দাও সবে গৃহছাড়া লক্ষ্মীছাড়া করে।'

আম্মার ছেলেমেয়েদের মানুষ করা প্রকল্প মোটামুটি সার্থক হয়েছে। আমার বড় ভাই নিওরোলজিস্ট; মেজো ভাই প্রকৌশলী অধ্যাপক; বোন হৃদরোগ বিশেষজ্ঞ; ছোট ভাই উন্নয়নকর্মী, এই মুহূর্তে প্যারিসে, রংপুরের নীলের ঐতিহ্য পুনরুদ্ধারের অভিযানে বেরিয়েছে। শুধু আম্মার একটা ছেলে তেমন কিছু হতে পারেনি। সে লেখক হওয়ার আপ্রাণ চেষ্টা করছে।

আম্মা, মোসাম্মৎ আনোয়ারা বেগম, এখন ৭০ পেরিয়েছেন। গোবিন্দগঞ্জের কাজলার জমিদারবাড়ির মেয়ে তিনি। ছোটবেলায় তাঁদের কাছারির সামনে দিয়ে লোকে ছাতামাথায় জুতা পায়ে চলতে পারত না, তিনি দেখেছেন। ওই কড়া ভাবটা আম্মার বোধ হয় ছিল। এখন আর নেই। আমার অ্যাকসিডেন্ট হলো ২০০৮ সালে, আমি ঠ্যাং ভেঙে বিছানায় পড়ে রইলাম, আম্মা আমার পাশে বসে থাকতেন। আমার ছোটবেলার জ্বর-আক্রান্ত দিনগুলোর কথা মনে পড়ত। ছোটবেলায় আম্মার একটু স্পর্শও কী রকম ধন্বন্তরির মতো লাগত! সত্তরের ঘূর্ণিঝড়ের রাতে আমাদের ওখানেও খুব ঝড়বৃষ্টি হচ্ছিল, আমরা যদিও দোতলা কোয়ার্টারে, তবু খুব ভয় পেয়ে আম্মাকে ডেকে বললাম, 'আম্মা, চলেন, নিচে যাই। গোয়ালঘরে ঢুকি।' আম্মা আমাকে জড়িয়ে ধরে বললেন, 'পাগল, ঝড়ের সময় তো দালানই ভালো।' আজকেও মনে হয়, আম্মার আঁচল সব বিপদ-আপদ থেকে আমাদের রক্ষা করতে পারবে।

কিছুদিন আগে হঠাৎ খবর এল, আম্মা অসুস্থ। আমরা এক ঘণ্টার নোটিশে তিন ভাই ঢাকা থেকে রংপুরের উদ্দেশে রওনা দিলাম। আম্মা আমাদের দেখেই সুস্থ হয়ে গেলেন। 'এই! রান্নাবান্না কী আছে, আমার ছেলেরা এসেছে।'

আমার সেই কবিতাটা কিন্তু সত্যি সত্যি আম্মাকে নিয়ে লেখা। রংপুরে গেলেই আম্মা ছোটবেলায় আমার যেসব খাবার প্রিয় ছিল সেসব রেঁধে নিয়ে এসে আমার পাশে দাঁড়িয়ে থাকেন। আমি খাই, তিনি দেখেন, যেন খাবার তাঁর পেটেই পড়ছে, তাঁর পেট ভরে উঠছে। হাতে থাকে কাঁসার গেলাসে পানি।

'সেই পানি না খেয়েই ফের যদি ঢাকা চলে আসি আমি/
আম্মা গ্লাস হাতে দাঁড়িয়েই থাকবেন দাঁড়িয়েই থাকবেন তিনি যেন বায়েজিদ বোস্তামি।'

০৮/০২/২০১১

বলে দেব স্ট্রেটকাট ভালোবাসি

এবার দেখা হলে বলে দেব, স্ট্রেটকাট ভালোবাসি...

লিখেছিলেন কবি নির্মলেন্দু গুণ।

তখন দেখা হওয়ার জন্য অপেক্ষা করতে হতো। এখন তার দরকার হয় না। স্কাইপে ফ্লোরিডায় বসে ফরিদপুরের মেয়েকে বলে দেওয়া সম্ভব–ভালোবাসি।

ঢাকা বিশ্ববিদ্যালয়। একজন ছাত্র কথা বলতে চান কোনো এক সহপাঠিনীর সঙ্গে। নিয়ম হলো, এটা করতে হলে প্রক্টরের অনুমতি লাগবে। প্রক্টরের কাছে আবেদন করা হলো। কোনো একজন শিক্ষককে দায়িত্ব দেওয়া হলো, এ দুজনের কথোপকথন পর্বে তিনি উপস্থিত থাকবেন। ড. আনিসুজ্জামান ১৯৫৩ সালে যখন ঢাকা বিশ্ববিদ্যালয়ে ভর্তি হন, তখন এই নিয়ম খানিকটা শিথিল করা হয়েছে। শৈথিল্যটা কী? ড. আনিসুজ্জামানের কাছ থেকে জানা গেল, প্রক্টর ছাড়াও অন্য শিক্ষকেরা শিক্ষার্থী ও শিক্ষার্থিনীর কথোপকথনের অনুমতি দিতে পারতেন। তারপর নাকি আস্তে আস্তে সেই কড়াকড়িও উঠে যেতে লাগল। তখন মেয়েটি হয়তো চার কদম এগিয়ে, পেছনে পেছনে হাঁটছেন ছেলেটি, কথাবার্তা সেরে নিচ্ছেন। সেখান থেকে আজকের প্রজন্ম। তারা কি বুঝবে কেন পাপিয়া সারোয়ার এই গান গেয়েছিলেন, 'নাই টেলিফোন নাইরে পিয়ন নাইরে টেলিগ্রাম, বন্ধুর কাছে মনের খবর কেমনে পৌঁছাইতাম।' ছেলেমেয়েরা একসঙ্গে পড়ছেন, খেলছেন, কোচিং ক্লাস করছেন, পিকনিকে যাচ্ছেন, হইহল্লা করছেন। তাঁদের প্রত্যেকের হাতে একটা করে মুঠোফোন। কাউকে ভালো লাগলে সামনাসামনি মুখ ফুটে যদি বলা না যায়, একটা কল করলেই সেটা সেরে নেওয়া যাবে। তাতেও যদি বাধো বাধো ঠেকে, তাহলে এসএমএস করলেই তো ল্যাটা চুকে যায়। মনে কী দ্বিধা রেখে গেলে চলে, সে দিন ভরা সাঁঝে, যেতে যেতে দুয়ার হতে কী ভেবে ফিরালে মুখখানি– কী কথা ছিল যে মনে–রবীন্দ্রনাথের এই গান কি আর প্রাসঙ্গিক!

কিন্তু মনের কথা বলে ফেললেই সব ল্যাটা চুকেবুকে যায় না। বরং, সেটা থেকেই শুরু হতে পারে কাহিনির। এই পৃথিবীতে ৩০০ কোটি পুরুষ, ৩০০ কোটি নারী, এর মধ্যে দুজনের মধ্যে ঘটে যেতে পারে এক গূঢ় রসায়ন। আজকের দিনে অবশ্য একই এসএমএস–'ঠিক করেছি সাবান ছাড়া, কোনো কাপড় কাঁচব না,/ ঠিক করেছি তোমায় ছাড়া একটা দিনও বাঁচব না'–৫ জনকে কি ২৫ জনকে পাঠানো যায়। তার মধ্যে তিনজন তো সাড়া দেবে। এর মধ্যে দুজনের সঙ্গে তো ব্যাটিং-বোলিং চালিয়ে যাওয়া যাবে।

তবুও সব ক্ষেত্রে ব্যাটে-বলে হয় না। প্রথম কথা, লাভ অ্যাট ফার্স্ট সাইট হতে পারে, কিন্তু যাকে চেনো না, জানো না, তাকে প্রপোজ করে বোসো না। প্রাণ ফেটে গেলেও নয়। বরং কোনো একটা অজুহাত বের করে তার কাছাকাছি যাওয়ার চেষ্টা করো। তার সঙ্গে কথা বলো, মেশো, তাকে সময় দাও। তারপর একদিন নিজেই বুঝে ফেলবে তার চোখের ভাষা। সে তোমাকে চায়, নাকি চায় না। যদি চায় বলে মনে হয়, উপহার দাও, সময় দাও, তোমার জন্মদিনটিতে তুমি কেবল তার সঙ্গেই সময় কাটাতে চাও, বলো। তারপর এক ১৪ ফেব্রুয়ারিতে বলেই ফেলো, এই বন্দিই আমার প্রাণেশ্বর। আর যদি বোঝো, ওর দিক থেকে সাড়া পাওয়ার সম্ভাবনা কম, তাহলে একবার আকারে-ইঙ্গিতে বলে দেখতে পারো। সাড়া পেলে তো ভালোই, না পেলে যেন কিছুই হয়নি, এমন ভাব করে চলতে থাকো। 'কা তব কান্তা, পৃথিবীতে কে কাহার। যাহার জন্য চক্ষু বুজে বহিয়ে দিলাম অশ্রু সাগর, তাহারে বাদ দিয়েও দেখি বিশ্বভুবন মস্ত ডাগর।' ওকে ছাড়াও তোমার পৃথিবী খুব ভালো চলবে। তাই বলে ওকে তোমার জীবনের শত্রু জ্ঞান কোরো না। ওকে তো তুমি মনে মনে ভালোই বাসো। খারাপ তো বাসো না।

হিসাব করে ভালোবাসা হয় না। প্রেমেরই ফাঁদ পাতা ভুবনে, কে কোথায় ধরা পড়ে কে জানে। তবে আজকের দিনে হিসাব না করেই বা উপায় কী। ক দেখতে ভালো, খ-এর কণ্ঠস্বর দারুণ, গ খুবই অ্যাডভেঞ্চারাস, ঘ খুবই রোমান্টিক আর ঙ-এর ফিউচার ভালো। সবাই তোমাকে পছন্দ করে। তুমি করবেটা কী!

ছেলে আর মেয়েদের মধ্যে আকর্ষণটা একেবারে ছোটবেলা থেকেই অনুভব করা যায়। তবুও বলি, যাকে বলে সঙ্গী বা সঙ্গিনী নির্বাচন, সেটা বিশ্ববিদ্যালয়ে ভর্তি হওয়ার আগে তো নয়ই, অনার্সের আগে না করাই ভালো। কারণ, প্রেমের মতো সর্বগ্রাসী জগৎপ্লাবী অনুভূতি আর কিছুই নেই। এ তোমার সমস্ত অস্তিত্বকে আচ্ছন্ন করে ফেলবে। ফলে তোমার রেজাল্টের ওপর এর নেতিবাচক প্রভাব পড়তে বাধ্য। 'ওরা সুখের লাগি চাহে প্রেম, প্রেম মিলে না, শুধু সুখ চলে যায়।' নতুন প্রজন্মের পাঠক কি হেসে উঠছে? তোমাদের অভিজ্ঞতা অনেক বেশি।

তাহলে তোমরাই বলো, আমি শুনি। আরেকটা কথা, প্রেম ভেঙেও যায়। কোথায় যেন একটা জরিপের ফল পড়েছিলাম, মানুষের জীবনে গড়ে প্রেম আসে ছয়বার। যদি তোমার জীবনে প্রেম তারও চেয়ে বেশিবার এসে থাকে, তাহলে তুমি অন্য কারওটা কমিয়ে দিয়েছ। আর যদি এখনো না এসে থাকে, হতাশ হোয়ো না। আসবে। ধৈর্য ধরো। ধৈর্য ধরা যাচ্ছে না? তাহলে রবীন্দ্রসংগীত শোনো, 'কবে আর হবে থাকিতে জীবন আঁখিতে আঁখিতে মধুর মিলন!' সান্ত্বনা পাবে। তোমরা যে বলো দিবস-রজনী 'ভালোবাসা' 'ভালোবাসা', সখী ভালোবাসা কারে কয়? সে কি কেবলই যাতনাময়? সে কি কেবলই চোখের জল? সে কি কেবলই দুখের শ্বাস? লোকে তবে করে কী সুখেরই তরে এমন দুখের আশ...।

তার পরও ঝুঁকি নিয়ে স্ট্রেটকাট বলে দিতে পারো, ভালোবাসি। কারণ, কবি নির্মলেন্দু গুণই বলেছেন, 'কিছু না পাওয়ার চেয়ে ভালোবেসে দুঃখ পাওয়া ভালো...'

২০/০২/২০১১

ঝলমলে ঢাকায় উজ্জ্বল উদ্বোধন

'আর কোনো শহর, আর কোনো দেশ, আর কোনো জাতির কাছে বিশ্বকাপ বিষয়টা এর চেয়ে বড় কিছু হতে পারত না। বিশ্বকাপের যাত্রা শুরু করার জন্য এর চেয়ে ভালো জায়গা আর কিছুই হতে পারত না।'–ক্রিকইনফোডটকম

নতুন জুতা আর জামাইয়ের মুখ নাকি বারবার দেখতে ইচ্ছা করে। ঢাকা যেন আজ নতুন জামাই, কী অপরূপ তার বরবেশ, আলোয় আলোয় ঝলমল করছে রাজপথ, সুন্দর বাংলাদেশের রাজধানীটা সেজেছে সাধ্যমতো জরিচুমকির পাগড়ি মাথায়, আর তার মুখটা দেখতে বেরিয়ে পড়েছে ঢাকাবাসী। রাতের বেলাতেও মিরপুর আর বিমানবন্দর সড়কে যানজট, সবাই বেরিয়ে পড়ে ঢাকা দেখতে। শুনে ভাবলাম, বেশি রাতে বেরোব। গায়ে বাংলাদেশের ক্রিকেট দলের একটা জার্সি চাপিয়ে রাত ১২টায় বেরিয়ে পড়ি স্ত্রী, কন্যা আর গৃহপরিচারিকাদের নিয়ে। জগতের আনন্দযজ্ঞে আমার নিমন্ত্রণ। ঢাকাবাসীর আনন্দমেলায় জগৎবাসীর নিমন্ত্রণ। কেউই আজ বাদ পড়বে না। বিজয় সরণি থেকে যানজট শুরু, রাস্তার দুই ধারে গাড়ি থামিয়ে লোকে ছবি তুলছে, নারী-পুরুষনির্বিশেষে খোলা ট্রাকে বসে আছে পুরো পরিবার, কোলে এক বছরের শিশু, তার গালে বাংলাদেশের লাল-সবুজ পতাকা আঁকা। থেকে থেকে বাজছে ভুভুজেলা। গাড়ি চালিয়ে যাই র‍্যাডিসনের দিকে, মাথার ওপরে আলোকের জলপ্রপাত নীল, বেগুনি, সাদা। সেসব দেখতে দেখতে পথের বাম দিকে সেই বিশাল ব্যাটটা, যাতে হাজার হাজার স্বাক্ষর। যানজট, যানজট। লোকে ভিড় করে ব্যাট দেখছে।

গাড়ি ঘুরিয়ে নিয়ে এবার চলি মিরপুরের দিকে। বঙ্গবন্ধু আন্তর্জাতিক সম্মেলন কেন্দ্রের ওদিকটায় খেলোয়াড়দের উডকাটে আলোকমালা, মানুষের মেলা বসে গেছে সেখানে, সবাই ছবি তুলছে। মিরপুর স্টেডিয়ামের পথে আবারও অনড় জট। কিন্তু মানুষের ফুর্তির বিরাম নেই, 'বাংলাদেশ' 'বাংলাদেশ' বলে পতাকা নিয়ে মিছিল করছে, হেঁটে, মোটরসাইকেলের বহর নিয়ে, ট্রাকে, বাসে। আহা, আমার ঢাকা শহর। মানুষের শহর। মানুষই এই শহরের প্রধান

সম্পদ। এই মানুষের উৎসাহের কারণেই ক্রিকইনফো লিখেছে, বিশ্বকাপকে তার আত্মা ফিরিয়ে দিল বাংলাদেশ। আমার চোখ ভিজে আসে আবেগে।

১৭ ফেব্রুয়ারি বেলা তিনটায় রওনা দিয়েছি স্টেডিয়ামের দিকে। উদ্বোধনী অনুষ্ঠান দেখে ইতিহাসের সাক্ষী হয়ে থাকব। শাহবাগের মোড়ে গাড়ি ঘুরিয়ে দিল পুলিশ। কারও মুখে কোনো বিরক্তি নেই। সবাই জানে, তারা হোস্ট, স্বাগতিক, মেজবান–সব কষ্ট তাদের হাসিমুখে মেনে নিতে হবে, যাতে অতিথিদের সামান্য কষ্টও না হয়। গুলিস্তানের মোড় লোকে লোকারণ্য। কঠিন নিরাপত্তা ফটক পার হতে সময় লাগছে। কিন্তু কারও চেহারায় কোনো ক্ষোভ নেই। আবার সবাই টিকিটও পাননি, তবুও বাংলাদেশের বড় পতাকা নিয়ে এসেছেন মিছিল করতে করতে। আজি কী আনন্দ আকাশে বাতাসে! স্টেডিয়ামের ভেতরে গিয়ে নবরূপে সজ্জিত স্টেডিয়াম দেখতে ভালোই লাগল। সাড়ে চারটায় শুরু হলো অপেক্ষমাণ দর্শকদের জন্য ফাউ বিনোদনের আসর। তরুণ শিল্পীরা গান গাইলেন। সোয়া ছয়টায় আসল অনুষ্ঠান। ছায়ানটের কণ্ঠে জাতীয় সংগীত। সবাই মিলে গলা ফাটিয়ে গাইছি, 'আমার সোনার বাংলা, আমি তোমায় ভালোবাসি'। বক্তৃতা পর্বটা একটু ঝুলিয়ে দিল বুঝি। প্রধানমন্ত্রী শেখ হাসিনাই বরং পরিমিত। আর তাঁর হাতের ছোঁয়াতেই শুরু হলো আতশবাজি, রং আর আলোর খেলা। রিকশায় অধিনায়কেরা। ধোনি কিংবা আফ্রিদির জন্য বাড়তি তালি। আর যেই এলেন সাকিব আল হাসান, চিৎকার করে উঠলাম 'বাংলাদেশ, বাংলাদেশ'। পুরো গ্যালারি চিৎকার করছে 'বাংলাদেশ' বলে। এই অনুষ্ঠানটা আরও ভালো করা যেত কি না, রুনা লায়লা কেন উর্দু গান গাইলেন–নানাজনের নানা টুকরো কথা। কিন্তু আমি দেখছি হাজার হাজার বাংলাদেশি ছেলেমেয়ে মাঠজুড়ে নাচছে, এমনকি ভারত-শ্রীলঙ্কার সঙ্গেও যারা মাঠে নেচেছে, তারা আমাদের ছেলেমেয়ে। কত আলো, কত মানুষ, কত বড় আয়োজন। এর মধ্যে খুঁত খুঁজতে নেই। ভিআইপিদের স্টেডিয়াম ছাড়ার আগে দর্শকদের গ্যালারি ছাড়তে দেওয়া ঠিক হয়নি। বেরিয়ে দেখি, জনস্রোতে আটকা পড়েছে খেলোয়াড় আর ভিআইপিদের গাড়িগুলো। সাইরেন বাজাচ্ছে পুলিশের গাড়ি। মানুষ আর মানুষ। গাড়ির কত কাছে মানুষ। নিরাপত্তাকর্মীরা অসহায়। কিন্তু বাংলাদেশের মানুষের মতো অতিথিপরায়ণ আর শান্তিবাদী কে আছে দুনিয়ায়। সবাই হাত নাড়ছে–এসো এসো আমার ঘরে এসো আমার ঘরে। সুন্দর বাংলাদেশের সুসজ্জিত রাজধানীতে বিশ্ববাসীকে স্বাগত।

২১/০২/২০১১

ক-য়ে ক্রিকেট খ-য়ে খেলা

স্ত্রী সন্তানসম্ভবা। হাসপাতালে ভর্তি রয়েছেন। স্বামী আছেন আরেক শহরে। তিনি হাসপাতালে ফোন করলেন। 'আমি ৭ নম্বর কেবিনের পেসেন্টের হাজব্যান্ড। কী অবস্থা বলেন তো এখন?'

যিনি ফোন ধরেছেন তিনি তখন বিশ্বকাপ ক্রিকেট খেলা দেখছেন টেলিভিশনে। শুধু তিনি একা দেখছেন তা-ই নয়, হাসপাতালের আরও অনেক দর্শনার্থী, কর্মচারীও ভিড় করে টেলিভিশন দেখছেন। তাই তিনি অবস্থার বর্ণনা দিলেন, 'খুব ভালো অবস্থা। আমরা দুজনকে আউট করেছি। এরই মধ্যে একজন ডাক। লাঞ্চের আগেই আরেকজনকে আউট করা যাবে, চিন্তা করবেন না।'

স্বামী বেচারা ডাকের মানে যদি হাঁস বুঝে থাকেন, তাহলে তাঁর জ্ঞান হারানো ছাড়া আর কী-ই বা করার থাকবে?

এবার শুনুন একটা সত্যিকারের হাসপাতালের গল্প। বাংলাদেশ-ভারত খেলা হচ্ছে। ঢাকার একটা বড় বেসরকারি হাসপাতালের লবিতে বড় একটা টেলিভিশন স্থাপন করা হয়েছে। রাত বাড়ছে। এই লবিতে বসে যাঁরা খেলা দেখছেন তাঁরা সবাই গুরুতর রোগীদের আত্মীয়স্বজন। কারও বাবাকে ভেন্টিলেশনে রাখা হয়েছে, কারও ছেলের অ্যাপেন্ডিসাইটিস অপারেশন হয়েছে, কারও বা স্বামীর ক্যানসার। এঁদের সবারই মন খারাপ করার জন্য বাস্তব পরিস্থিতি আর কারণ রয়েছে। কিন্তু সেই বাস্তবতা ভুলে তাঁরা হাততালি দিয়ে উঠছেন। একটু আগেও তাঁদের মন বড়ো খারাপ ছিল। ভারত ৩৭০ করেছে। রানটা ডিঙোনো প্রায় অসম্ভব। কিন্তু ব্যাট করতে নেমে ইমরুল কায়েস দারুণ পেটাচ্ছেন। রানের গড় খুব ভালো। একটা করে চার হচ্ছে আর তাঁরা সোল্লাসে চিৎকার করে উঠছেন। একটু পরে ইমরুল কায়েস আউট হয়ে গেলেন। খেলার গতি থিতিয়ে এল। সাকিব আল হাসান আউট হওয়ার পরে বোঝা গেল, আর আশা নেই। এই দর্শকদের মধ্যে নেমে এল চরম হতাশা। 'আমরা আপনার

বাবার ভেন্টিলেটর খুলে নিতে যাচ্ছি,' ডাক্তার বললেন এক দর্শনার্থী তরুণকে। বাবার যে বাঁচার আশা আর নেই, ছেলে সেটা আগে থেকেই জানে। নেই, তবুও তো এখনো আছেন। একটু পরে বাবা থাকবেন না। এরপরে বলতে হবে, ছিলেন। বাবা অতীতকাল হয়ে যাবেন। 'ভেন্টিলেটর খুলে নিতে যাচ্ছি'–এ কথা শোনার পরও তরুণটির আফসোস তার বাবার জন্য নয়, বাংলাদেশের আরেকটা খেলোয়াড়ের আউট হওয়া নিয়ে। ইস, নাইম যদি থাকত! ও তো ছক্কা মারতে জানে। ওর নামই না ছক্কা-নাইম!

সত্যিকারের এই গল্প শুনে আমার নিজের চোখটাও ছলছল করে ওঠে। এটা কি ক্রিকেটের জন্য আমাদের ভালোবাসা, নাকি দেশের জন্য?

কেমন অদ্ভুত না ব্যাপারটা! ক্রিকেট তো একটা খেলাই। খেলায় জয়-পরাজয় থাকবে। সেটা বড় নয়, আসল লক্ষ্য হলো আনন্দ। কিন্তু সেই খেলা আমাদের কীভাবে এ রকম ঘোরতর নিমজ্জনের মধ্যে নিয়ে যায়! আপন-পর ভুলিয়ে দেয়। প্রিয়জনের মৃত্যুর ব্যথা ভুলিয়ে দেয় প্রিয় দলের সাফল্য বা ব্যর্থতা। বাংলাদেশ ক্রিকেট দল না হয় নিজের দেশের দল, আমাদের বহু ব্যর্থতার দেশে একটুখানি সাফল্যের আশ্বাস, জীবনের নানা মাঠে মার খেতে খেতে একটুখানি বিজয়ের সম্ভাবনা, কিন্তু বিশ্বকাপ ফুটবলে যে আমরা মেতে উঠি ব্রাজিল আর আর্জেন্টিনাকে নিয়ে, প্রিয় দল হেরে গেলে এই দেশে অন্তত চার-পাঁচজন মারা যান হৃদ্‌যন্ত্র বন্ধ হয়ে, তার কী মানে?

মনটা একটু আর্দ্র হয়ে উঠল কি? আচ্ছা আচ্ছা, এবার তাহলে একটা কৌতুক। ২০০৭ সাল। বাংলাদেশের সঙ্গে হেরে গেছে শিরোপা-প্রত্যাশী ভারত। তারপর শ্রীলঙ্কার কাছে হেরে বিদায় নিয়েছে বিশ্বকাপ থেকেই। ধোনি আর বাইরে বেরোতে পারছেন না। তিনি একটা পারলারে গিয়ে মাথায় লম্বা চুল লাগালেন। কপালে টিপ, ঠোঁটে রঞ্জিনী বুলিয়ে, ওড়না দিয়ে মাথা ঢেকে মেয়ে সেজে তিনি উঠেছেন ট্রেনে। এ সময় তাঁর পাশে আরেকজন তরুণী এসে বসল। সে তাঁকে ফিসফিসিয়ে জিজ্ঞেস করল, 'তুমি কি ধোনি?' ধোনি আঁতকে উঠলেন, 'কী করে টের পেলেন?'

'আরে, টের পাব না? আমি তো শেবাগ।'

ক্রিকেট নিয়ে বিখ্যাত সাহিত্যিকেরা কী কী লিখেছেন? এ কথা বললে আমার বন্ধু ক্রীড়ালেখক উৎপল শুভ্র নিশ্চয়ই আমাকে মারতে আসবেন। বলবেন, ক্রিকেট নিজেই সাহিত্য, সাহিত্যিকদের লেখার অপেক্ষায় ক্রিকেট বসে নেই! কথা সত্য, ক্রিকেট নিয়ে লেখা হয়েছে লাখ লাখ পাতা, সেসব ক্রিকেট-

সাহিত্য বলেই গণ্য। কাজেই ক্রিকেট-লেখকেরা নিজেরাই সাহিত্যিক। কথাটা যে সত্য, তা তো শুভ্রর নিজের লেখা পড়লেই বোঝা যায়। রবীন্দ্রনাথ ক্রিকেট নিয়ে কি কিছু লিখেছিলেন? শুভ্র বলেছেন, বল নিয়ে রবীন্দ্রনাথের কিছু উক্তি পাওয়া যায়, যেমন, 'বল দাও মোরে বল দাও।' কিন্তু সেটা ফুটবল না ক্রিকেট নিয়ে সে বিষয়ে পণ্ডিতেরা এখনো স্থিরমত হতে পারেননি। কিন্তু বাঙালির জীবনে রবীন্দ্রনাথ ছাড়া কি কিছু কল্পনা করা যায়? ২০১১ সালের বিশ্বকাপ শুরু হয়েছে বাংলাদেশের জাতীয় সংগীত দিয়ে। আমরা প্রাণভরে গেয়েছি, 'আমার সোনার বাংলা, আমি তোমায় ভালোবাসি।' ফলে এখানেও রবীন্দ্রনাথ। তবে বাংলা ক্রিকেট-সাহিত্য কিংবা ক্রিকেট-সাংবাদিকতায় রবীন্দ্রনাথের সংশ্লিষ্টতা নিয়ে একটা কাহিনি অন্তত পাওয়া যাচ্ছে ইন্টারনেটে। বরিয়া মজুমদার নামে একজন লিখেছেন *আনন্দবাজার পত্রিকায়* ক্রিকেট-সাংবাদিকতা শুরুর দিনগুলোর কথা। বাংলা ক্রিকেট-সাংবাদিকতার পথিকৃৎ ব্রজরঞ্জন রায় *আনন্দবাজার পত্রিকার* সম্পাদকদের রাজি করালেন ক্রিকেটের জন্য স্থান বরাদ্দ করতে। ব্রজরঞ্জন লিখবেন বিনিপয়সায়, বলাইবাহুল্য। পত্রিকার উদ্যোক্তারা রাজি হলেন। কিন্তু ব্রজরঞ্জন পড়লেন মুশকিলে। এই ক্রিকেটীয় পরিভাষাগুলোর তর্জমা কী হবে? উপায়ান্তর না দেখে তিনি দেখা করতে গেলেন রবীন্দ্রনাথ ঠাকুরের সঙ্গে। রবীন্দ্রনাথ নাকি তাঁকে প্রচণ্ড উৎসাহ দিয়েছিলেন, অভয় দিয়েছিলেন। 'তুমি বাংলা করতে আরম্ভ করে দাও, পরিভাষা আবিষ্কার করতে থাকো, আজকে তুমি যা লিখতে শুরু করবে, একদিন তা-ই প্রমিত বলে চালু হয়ে যাবে।' রবীন্দ্রনাথ এই কনসালটেন্সির জন্য কোনো পয়সা নেননি, বরিয়া মজুমদার আমাদের জানাচ্ছেন। রবীন্দ্রনাথের এই আশ্বাসের পরও যে কেন ব্রজরঞ্জন আমাদের এলবিডব্লিউর একটা বাংলা প্রতিশব্দ উপহার দিলেন না! হয়তো সেটা হতে পারত 'উপূপা' (উইকেটের পূর্বেই পা)। কট বিহাইন্ডের বাংলা হতে পারত 'পাছে ধরা' বা 'পিছে ধরা'। স্লিপের বাংলা কি হতে পারত পিচ্ছিল বা পিছলা? কিন্তু তা হয়নি, অগত্যা আমাদের ইংরেজি দিয়েই চালাতে হচ্ছে।

বাংলা ভাষার হাল জমানার লেখক-কবিরা ক্রিকেট নিয়ে প্রচুর লিখছেন। সম্ভবত লিখতে বাধ্য হচ্ছেন। শামসুর রাহমান ক্রিকেটানুরাগী ছিলেন, নির্মলেন্দু গুণ তো এখন প্রায় পেশাদার ক্রিকেট (ও ফুটবল) লেখক। ওই বাংলায় শীর্ষেন্দু মুখোপাধ্যায় প্রমুখের ক্রিকেট-লেখার খ্যাতি আছে।

অন্তত একজন নোবেল বিজয়ী লেখকের ক্রিকেটপ্রীতি বহুল প্রচারিত। তিনি হ্যারল্ড পিন্টার (১৯৩০-২০০৮)। নাট্যকার, চিত্রনাট্যকার, নির্দেশক, অভিনেতা,

কবি। ব্রিটিশ নাটকের সবচেয়ে অগ্রগণ্য প্রতিনিধি হিসেবে ২০০৫ সালে নোবেল পুরস্কার লাভ করেন। তিনি ছোটবেলা থেকেই ক্রিকেট খেলেছেন, গেইটি ক্রিকেট ক্লাবের সভাপতি ছিলেন, ছিলেন ইয়র্কশায়ার ক্রিকেট ক্লাবের আজীবন সমর্থক। তিনি বলেছিলেন, 'ক্রিকেট আমার জীবনের প্রধান অবসেশনগুলোর একটা। আমি সারাক্ষণই ক্রিকেট খেলি, দেখি, পড়ি।' ক্রিকেট নিয়ে তাঁর সবচেয়ে মূল্যবান উক্তিটা হলো, 'আমি এ রকম ভাবতে চাই যে ঈশ্বর এই পৃথিবীতে যা কিছু সৃজন করেছেন, তার মধ্যে সবচেয়ে মহান সৃষ্টি হলো ক্রিকেট। এটা সেক্সের চেয়ে মহত্তর, যদিও সেক্স জিনিসটাও কম ভালো নয়।' কথাটা ভাবার মতো। একই কথা আমিও বলতে পারতাম, কিন্তু সেটা ক্রিকেট নিয়ে নয়, ফুটবল নিয়ে। ফুটবলের সঙ্গে ওই ব্যাপারটার বেশি মিল, কিন্তু ক্রিকেটের সঙ্গে যদি তাকে তুলনা করতে হয়, তাহলে বলতে হয়, তাতে কেবল শরীরী আশ্লেষ জড়িত নয়, আছে হৃদয়পুরের জটিলতাও, ফুটবল হয়তো নিছকই কামনার ব্যাপার, ক্রিকেট হয়তো প্রেমপূর্ণ কামনা। নাটকের লোক পিন্টার বলেছেন, 'ক্রিকেট আর নাটকের মধ্যে অনেক মিল। যখন কেউ স্লিপে একটা ক্যাচ মিস করে, যখন আম্পায়ার একটা এলবিডব্লিউর আবেদন নাকচ করে দেন, তখন যে উত্তেজনাটা তৈরি হয় সেটা ঠিক যেন মঞ্চনাটকেরই উত্তেজনা।' পিন্টারের কাছে দুই প্লেই এক, খেলা অর্থে প্লে আর নাটক অর্থে প্লে। তাই তো, ব্যাপারটা তো আগে খেয়াল করিনি। আমিও তো তাহলে খেলোয়াড়, কারণ আমিও তো প্লে লিখেছি। সেটা ছোটবেলা থেকেই। কিন্তু ছোটবেলায় ক্রিকেট খেলিনি। টেনিস বল দিয়ে ছয় চারা বা আমরা বলতাম কিংকং, সেটা খেলেছি প্রচুর। আর খেলতাম ফুটবল। এর কারণটা অর্থনৈতিক। ৩৫ টাকা দিয়ে একটা ৩ নম্বর ফুটবলই আমাদের পাড়ার ছেলেদের পক্ষে কেনা বড় কঠিন ছিল। ফুটবল তো জাম্বুরা দিয়েও খেলা যায়, কচুরিপানার শুকনো বৃন্ত দিয়ে পোঁটলা বানালেও খুব ভালো ফুটবল হতো আমাদের সময়। কিন্তু ক্রিকেট খেলতে আয়োজনটা করতে হতো বেশি। কাঠের তক্তা কাটো, উইকেট বানাও, পিচ বানাও। না, আমরা ক্রিকেট খেলিনি তেমন। তখন জানতাম, রাজার খেলা ক্রিকেট, খেলার রাজা ক্রিকেট। আমাদের ছোটবেলার খেলার মাঠের সঙ্গীসাথিদের কেউই তো রাজার ছেলে ছিল না। সেই ক্রিকেট কি এখন প্রজার খেলা হয়ে উঠেছে? বাংলাদেশে ক্রিকেট বিশ্বকাপ নিয়ে পথে পথে মানুষের হুল্লোড় দেখে ক্রিকইনফো লিখেছে, এটা হলো পিপলস ওয়ার্ল্ড কাপ। মানুষের বিশ্বকাপ। লিখেছে, বাংলাদেশ বিশ্বকাপকে তার আত্মা ফিরিয়ে দিয়েছে। শুনতে ভালোই লাগছে। ক্রিকেট এই

উপমহাদেশে এনেছিল ব্রিটিশ প্রভুরা, প্রথমে তারা এটা খেলত একঘেঁয়েমি কাটাতে, তারপর– উত্তর-ঔপনিবেশিক তাত্ত্বিকরা যেমন বলছেন–তারা খেলত, ন্যাটিভদের আলাদা হিসেবে চিহ্নিত করার সুবিধার জন্যে, তারপর তারা স্থানীয়দেরকেও খেলাটা শেখাতে লাগল, তখন উদ্দেশ্যটা ছিল 'বাদামি সাহেব' তৈরি করা। এখন উত্তর-ঔপনিবেশিক কালে, সাহেবদের 'জেন্টলমেন'স গেম্‌স'-কে বস্তিতে নামিয়ে এনেছে প্রাক্তন অনেক কলোনি, আর বনেদি ক্রিকেটের বিশ্বকাপকে বাংলাদেশ করে তুলেছে সকলের বিশ্বকাপ, গণমানুষের সার্বজনীন উৎসব। বাংলাদেশের মাধ্যমেই শুরু হোক গণতন্ত্রের পথে ক্রিকেটের যাত্রা, রাজার খেলা হয়ে উঠুক সবার খেলা, সাধারণের, নিম্নবর্গেরও।

৩১/১২/২০১০

প্রিয় ডিজিটাল চোর...

জাপানের ওই অধ্যাপকের হয়ে আমরা একটু ব্যাপারটা কল্পনা করি।

তিনি বাংলা ভাষাপ্রেমিক।

বাংলা শিখেছেন কষ্ট করে। বাংলা সাহিত্য, বাঙালি সংস্কৃতি নিয়ে তাঁর অপার আগ্রহ।

লালন নিয়ে তিনি গবেষণা করছেন।

গড়গড় করে বাংলা বলতে পারেন, বাংলা পড়তে পারেন।

সেই বাংলা ও বাঙালিপ্রেমিক জাপানি অধ্যাপক পড়ান জাপানের হিরোশিমা বিশ্ববিদ্যালয়ে। সেখানে তাঁর কাছে আমন্ত্রণ এসে পৌঁছাল বাংলাদেশ থেকে। বাংলাদেশের সর্বোচ্চ বিদ্যাপীঠ প্রাচ্যের অক্সফোর্ড ঢাকা বিশ্ববিদ্যালয়ে একটা সম্মেলন হবে– বঙ্গবিদ্যা সম্মেলন। তিনি নিশ্চয়ই খুবই আনন্দিত হয়েছিলেন এই আমন্ত্রণ পেয়ে। তাঁর স্বপ্নের দেশ বাংলাদেশ। তাঁর স্বপ্নের মানুষেরা থাকে ওই দেশে। তারা তাঁর আগ্রহের ভাষা বাংলায় কথা বলে। এই সেই বাংলা, যে বাংলায় লালন জন্মেছিলেন। এই সেই বাংলা, যেই বাংলার পথে পথে এখনো লালনের মতো বাউলেরা একতারা হাতে গান গেয়ে বেড়ান। তিনি অবশ্যই বাংলাদেশে যাবেন।

বঙ্গবিদ্যা সম্মেলনে অংশ নিতে তিনি ঢাকায় আসেন। ১৯ ডিসেম্বর ২০১১। সম্মেলনের ফাঁকে মধ্যাহ্নভোজের আয়োজন ঢাকা বিশ্ববিদ্যালয়ের ছাত্রশিক্ষক কেন্দ্রের ক্যাফেটেরিয়ায়। সেখানে তাঁর ব্যাগটা রেখে তিনি খাবার আনতে যান। এসে দেখেন ব্যাগ নেই। নেই নেই তো নেই।

ব্যাগে ছিল দুই হাজার ডলার, এক লক্ষ ইয়েন, পঞ্চাশ হাজার টাকা, ডিজিটাল ক্যামেরা, মডেম, ল্যাপটপ, মূল্যবান কাগজপত্র আর পাসপোর্ট।

সবকিছু খোয়ান তিনি বঙ্গবিদ্যা সম্মেলনে এসে।

পরে তিনি সংবাদপত্রে বিবৃতি পাঠান। তিনি বলেছেন, তিনি টাকা-পয়সা কিছুই চান না। এমনকি ল্যাপটপটাও ফেরত চান না। কিন্তু ওই ল্যাপটপের হার্ডডিস্কে তার মূল্যবান কিছু তথ্য আছে। যেগুলো তিনি সারা জীবন গবেষণা করে সঞ্চয় করেছেন। ওই তথ্যগুলো কারও কিছু কাজে লাগবে না। কিন্তু ওগুলো না পাওয়া মানে তাঁর জীবনের অপূরণীয় ক্ষতি। তিনি শুধু ওই তথ্যগুলো ফেরত চান। তিনি কাউকে শাস্তিও দিতে চান না। শুধু তথ্যগুলো ফেরত দেওয়া হোক।

সেটা হয়তো একটা চার শ টাকা দামের পেনড্রাইভে ভরে ফেরত দেওয়া যাবে।

আমরা ওই অধ্যাপকের মনের অবস্থাটা বোঝার চেষ্টা করছি।

তাঁর কেমন লাগছে এখন?

বঙ্গবিদ্যা সম্মেলনে এসে তিনি কোন বঙ্গবিদ্যার খবর নিয়ে যাচ্ছেন?

এ ধরনের খবর পড়লে আমাদের মাথা হেঁট হয়ে আসে। আমরা, পুরো জাতিই, লজ্জায় অধোবদন হয়ে পড়ি। জাপান এমন একটা দেশ, যেখানে রাস্তায় কিছু ফেলে রাখলেও কেউ নেয় না। আর এখানে এসে, দেশের সর্বোচ্চ বিদ্যাপীঠের ছাত্রশিক্ষক কেন্দ্রে তাঁর ব্যাগটা খোয়া গেল?

২

জাপানের অধ্যাপকটি তবু একজন ব্যক্তিমানুষ। আর যে বা যারা ওই বঙ্গপ্রেমিক মানুষটির ব্যাগটা আত্মসাৎ করেছে, সে বা তারাও ব্যক্তিমানুষ। হয়তো যারা এই অপকর্ম করেছে, তারা ঢাকা বিশ্ববিদ্যালয়ের ছাত্রও নয়। তারপরও আমাদের লজ্জা কমে না। আমরা মুখ দেখানোর কোনো একটা অজুহাতও পাই না। কাজেই আমরা আকুল আবেদন জানাই, ভাই, যার কাছে এই ল্যাপটপটা পৌঁছেছে, তিনি দয়া করুন, এক বা একাধিক পেনড্রাইভে ল্যাপটপের ফাইলগুলো কপি করে ওই জাপানির কাছে পৌঁছানোর একটা উপায় অবলম্বন করুন। পেনড্রাইভের দাম বেশি মনে হলে কুড়ি টাকার সিডিতে ভরেও তথ্য-উপাত্ত ফেরত দেওয়া যেতে পারে।

একটা ছোট্ট পেনড্রাইভে ভরে জাপানি অধ্যাপককে তাঁর গবেষণার ফাইলগুলো ফেরত দিলে হয়তো আমাদের লজ্জা খানিকটা কমবে।

যেমন শাহজালাল বিজ্ঞান ও প্রযুক্তি বিশ্ববিদ্যালয়ের দুজন ছাত্র হত্যার সঙ্গে জড়িতদের গ্রামবাসী পুলিশের কাছে সোপর্দ করেছে। এমনকি একজনকে পুলিশের হাতে তুলে দিয়েছেন তার বাবা। ওই ঘটনাও খুব লজ্জার। বিশ্ববিদ্যালয়ের ছেলেমেয়েরা নৌভ্রমণে বেরুবে, তাদের সঙ্গে মেয়ে, কাজেই ওই মেয়েদের তুলে নিয়ে যেতে হবে– এই চিন্তা মাথায় আসে কী করে, আমাদের ভাবতেই হয়। আর একটা নতুন মোবাইল ফোনের লোভে নৌকার মাঝি মাঝপথে নৌকার ইঞ্জিন বন্ধ করে ভাসতে লাগল, সেটাও জানার পর আমাদের মনটা খুব দমে যায়। তার পরও যখন গ্রামবাসী তাঁদের গ্রামের ছেলেদের বা একজন বাবা তাঁর নিজের সন্তানকে পুলিশের হাতে তুলে দেন, আমাদের ক্ষতে সামান্য প্রলেপ পড়ে।

তেমনি করে ওই জাপানি ভদ্রলোক যদি তাঁর সারাজীবনের পরিশ্রমের ফসল গবেষণালব্ধ তথ্যগুলো ফেরত পান, আমাদের লজ্জার আগুনে হয়তো সামান্য পানি পড়বে।

কিন্তু ভাবছি, যখন বিশ্বব্যাংক আমাদের মন্ত্রীর বিরুদ্ধে দুর্নীতির অভিযোগ করে, আর ওই মন্ত্রীকে কেবল বদলি করা হয়, আর ওই মন্ত্রীর বিরুদ্ধে সরকারের উচ্চতম অবস্থান থেকে সাফাই গাওয়া হয়, তখন আমাদের লজ্জার আগুনে তো পানি পড়ে না, বরং কেরোসিন পড়ে।

একটা পেনড্রাইভে করে জাপানি গবেষকের তথ্য তাঁর কাছে ফেরত দেওয়া গেলে আমাদের লজ্জা খানিকটা কমে। কিন্তু আমাদের জাতীয় লজ্জা কোন পেনড্রাইভে ভরে আমরা জমা দেব?

জাপানি ওই অধ্যাপকের কাছে করজোড়ে ক্ষমা প্রার্থনা করে বলি, আপনি যদি বাংলাদেশের প্রবাদ-প্রবচন বাগ্‌ধারাগুলো নিয়ে গবেষণা করেন, তাহলে আপনি বঙ্গবিদ্যা সম্পর্কে বহু কিছু জানতেন।

এই দেশের বাগ্‌ধারা হলো, চুরি বিদ্যা বড় বিদ্যা যদি না পড়ে ধরা। এই দেশের বাগ্‌ধারা হলো, চোরের মার বড় গলা। আপনি নিশ্চয়ই রবীন্দ্রনাথের লেখার ভীষণ ভক্ত। তিনি বলেছেন, 'এ জগতে হায় সেই বেশি চায় আছে যার ভুরি ভুরি, রাজার হস্ত করে সমস্ত কাঙালের ধন চুরি।' আর আপনার আগ্রহের অন্যতম বিষয় যে লালন তিনি বলেছেন, 'মন সহজে কি সই হবা, চিরদিন ইচ্ছা মনে আল ডিঙায়ে ঘাস খাবা।' এই দেশের প্রবাদ হলো, 'চোরের দশ দিন, সাধুর এক দিন।'

আমরা কেবল চোরের দশ দিন দেখে যাচ্ছি, সাধুর এক দিন এই দেশে আসছে না। এই দেশের বাগ্‌ধারা হলো, ‘পুকুর চুরি’। এই দেশে কেবল পুকুরচুরি হয় না; সমুদ্রচুরি, সেতুচুরি, নদীচুরিও হয়।

তবে আশার কথা হলো, আমরা ডিজিটাল বাংলাদেশ গড়ে তুলছি। আপনার চুরিটাকে আমরা বলতে পারি, ডিজিটাল চুরি। আপনার ওই ডিজিটাল চোরের প্রতি আমাদের আকুল আবেদন, হে ডিজিটাল চোর, তুমি সব চুরি করো, কিন্তু বাংলাদেশের মান-সম্মান ভাবমূর্তি চুরি কোরো না। দয়া করে তুমি জাপানি ভদ্রলোকের মূল্যবান গবেষণা তথ্য ফেরত দাও।

একই কথা হয়তো আমাদের সেতু বা নদীবিষয়ক ভাবমূর্তি অপহারকদেরও বলতে পারতাম। কিন্তু ‘চোরা না শোনে ধর্মের কাহিনী।’